CW00431254

COLLECTION FOLIO

Paul-Henry Bizon

La louve

Gallimard

© *Éditions Gallimard, 2017.*

Né en 1979, diplômé de lettres modernes, Paul-Henri Bizon s'intéresse aux mutations violentes qui bouleversent la société française et opposent les campagnes aux zones urbaines. Son premier roman, *La louve*, a paru en 2017 aux Éditions Gallimard.

Pour mes parents et mes frères.
Pour Alban, Élise, Ève & Louise.

À M.-G.

À la fin tu es las de ce monde ancien

GUILLAUME APOLLINAIRE,
Zone

Sa louve reposait comme celle de marbre
Qu'adoraient les Romains, et dont les flancs velus
Couvaient les demi-dieux Rémus et Romulus.

ALFRED DE VIGNY,
La Mort du loup

À mesure que le train avançait, le monde semblait rétrécir. Paris, les banlieues sur des kilomètres, la Beauce, quelques bosquets piqués dans l'immensité puis les forêts du Perche, Le Mans, bocage, rien, Angers – changement voie E –, la Loire et ses folies, la levée, Chalonnes, Chemillé, bientôt les haies se resserrent de part et d'autre de la voie ferrée, les abattoirs, enfin la voix enregistrée : «Cholet. Terminus de ce train. Veillez à ne rien oublier à votre place. La SNCF et son personnel espèrent que vous avez fait bon voyage.»

À l'ouverture des portes, Camille Vollot, réveillé quelques instants plus tôt par le ralentissement du train, s'étira, regardant d'un œil distrait défiler les autres passagers avant de se décider à descendre. Le ciel était bas, presque immobile, comme souvent au-dessus des Mauges. Une fois devant la petite gare, tirant sur sa cigarette, il laissa le tissu des jours reprendre forme, les couples se retrouver, les parents attraper leurs enfants et s'éparpiller vers les voitures, françaises et grises pour la plupart. Soudain, plus personne. Tout ce ballet s'était joué en un instant, sans effusion, mécaniquement.

C'est alors qu'il aperçut Victoire et leurs deux filles, Jeanne et Esther, qui trépignaient devant le monument aux morts de la SNCF. Après les avoir embrassées, il se laissa conduire vers Montfort-sur-Sèvre.

«Comment s'est passée la réunion? demanda Victoire.

— Bien, ma louve. Disons que le ministre est attentif à notre façon de penser et plutôt pas con mais, comme toujours, il a les mains liées. Les enjeux sont trop énormes. Le mec ne peut pas bouger un orteil sans se faire couvrir de fumier! Tu sais bien comment ça se passe...

— Et c'est comment Paris, papa? l'interrompit Jeanne.

— C'est beau, ma chérie, et c'est surtout TRÈS grand, dit-il en déployant ses bras de façon théâtrale. Tout est gigantesque, les maisons, les rues, les magasins... Et puis, il y a plein de gens de partout. On ne peut rien compter là-bas, il y a trop de choses! La prochaine fois, je vous emmènerai, promis!»

La route familière qui les conduisait de Cholet à Montfort-sur-Sèvre était une antichambre, l'occasion pour Camille de renouer par la conversation avec son quotidien sans esbroufe, banal, le dernier sas de décompression du plongeur avant la surface. Oublier Paris et l'abstraction de son vacarme.

« Vous avez eu le temps de finir la préparation des structures pour le marché ? demanda Camille à Victoire. Je suis désolé, ce truc tombait très mal.

— Oui, oui, ne t'inquiète pas. Tout est prêt pour demain. »

Après une dizaine de kilomètres, au bout du chemin, il retrouvait La Ville aux Voies, cette ferme familiale qu'il avait achetée à la mort de son grand-oncle Yves, un homme solitaire et sans descendance. Malgré les difficultés, il n'avait jamais regretté sa décision d'en reprendre l'exploitation et de préserver ainsi le terrain de jeu de son enfance, ces champs et halliers qu'avec son frère cadet Antoine il sillonnait à vélo, ces granges emplies de matériel poussiéreux où ils régnaient en seigneurs, cette basse-cour enserrée d'un vaste potager et tous ces recoins plus mystérieux les uns que les autres qui faisaient désormais le bonheur de Jeanne et d'Esther.

Le plaisir que lui procurait la moindre promenade parmi ces sentiers était d'ailleurs toujours aussi intense. Sortant de sa maison, il aimait se laisser aller à marcher, sans réfléchir, prendre à droite ou à gauche selon ce que lui dictait son humeur, suivre le chemin creux bordé de prunelliers puis longer l'ancienne voie ferrée jusqu'au petit cours d'eau qu'elle enjambait d'un minuscule viaduc. Depuis toujours, il préférait descendre et emprunter l'intérieur de ce tunnel où la peau joyeuse de l'onde se reflétait en myriade.

Enfants, lorsqu'ils s'en allaient cueillir des mûres souvent accompagnés d'une bande de cousins, Camille et ses frères, Antoine et Romain, ne manquaient jamais d'y passer de longues minutes à hurler pour s'amuser de l'écho. C'était leur endroit préféré et sans doute l'était-ce encore pour Camille, à en juger par le plaisir que lui procurait chaque fois cette traversée puis de retrouver, dans la lumière, de l'autre côté, le désordre émouvant de ces champs enclavés parmi les haies et les bosquets que le givre, l'hiver venu, cristallisait.

Les portes de l'avion, un Airbus A380 de la compagnie Air France, venaient de s'ouvrir. Cristina Sarkis, une main sur l'épaule de chacun de ses deux fils – Sacha et Dorian –, se tenait prête à sortir. Elle serait la première. L'hôtesse de l'air, foulard bleu ciel imprimé «nuage» impeccablement noué sur le côté, recula d'un pas et désigna la sortie de sa main droite : «Au revoir madame, au revoir les garçons. Nous espérons que vous avez fait bon voyage. Excellent séjour à Paris.»

Derrière elles, Raoul Sarkis, costume en alpaga et moustache lissée, avait déjà rallumé son téléphone portable et répondait au message – «Bien arrivé?» – de Jean-François : «Big Dick is back in town!;) RDV Champs à 17 heures.» De la main gauche, glissée dans la poche de son pantalon, il jouait avec son alliance qu'il avait ôtée de son annulaire. En s'avançant, il ne put réprimer un clin d'œil à l'hôtesse assorti d'un sourire largement exagéré. Sarkis était heureux. Voilà seize ans qu'il rêvait la fin de son exil et qu'il croupissait sous la neige de Varsovie à subir les ricanements d'une bourgeoisie aussi frelatée qu'imperméable à son génie. Son heure était venue, il aurait bientôt sa revanche.

Ce matin de mai, le jour même de ses quarante ans, son histoire recommençait : Paris était là, devant lui, qui l'attendait.

I

QUERELLE

Comme tous les samedis matin, Camille avait chargé sa camionnette de légumes et, accompagné de Victoire, prenait la direction de Morte-Montagne, village voisin de Montfort, où se tenait le marché de La Louve, une structure coopérative qu'il avait créée avec d'autres paysans de la région. Assise à ses côtés, en jean et chemise à carreaux, les manches retroussées et les cheveux simplement protégés d'un foulard, Victoire semblait tout droit sortie d'un article sur le renouveau paysan ou d'une publicité vantant les mérites de la vie à la campagne, rayonnante, comme à son habitude, sensuelle et souriante, presque troublante de bonne humeur et de perfection :

«Est-ce que tu peux passer par Milvin ce matin ? Mme Rossignol m'a commandé un panier. Je vais lui déposer en passant.

— Elle ne peut pas se déplacer, la vieille ?

— Non. Elle est seule chez elle – la vieille ! – sans voiture. Elle garde les enfants de Sébastien. Tu le connais, c'est son fils qui vit à Bordeaux.

— Hmm. C'est un connard. T'es trop gentille avec ces gens. C'est le genre, tu leur rends service une fois et ils te pompent jusqu'à la moelle.»

Victoire partit d'un grand éclat de rire :

«Oh! Mais je vois qu'on est d'excellente humeur ce matin! J'ai hâte de vivre cette journée à tes côtés, mon amour!»

En passant devant le monument aux morts, ils croisèrent deux hommes en pleine discussion. Victoire les salua d'un geste de la main auquel ils répondirent. Camille ne tourna même pas la tête.

«Tu as vu, c'était Guillaume Lopez et Vincent Rautureau? Tu pourrais leur dire bonjour quand même. Tu as joué au foot avec eux pendant des années. Qu'est-ce qu'ils t'ont fait ceux-là?

— Lopez, c'est un facho et un imbécile. Il passe sa vie au Puy du Fou avec une clique de sales types en pensant faire partie de la bande alors que, dans son dos, ils continuent à le traiter de Portugais. Le Rautureau, politiquement, il n'est pas beaucoup plus raffiné et, en plus, il se plaint de tout sans arrêt. Il est toujours le premier à critiquer sans jamais rien proposer mais il ne se prive pas pour courir la subvention et balancer des saloperies chimiques dans ses champs dont tout le monde "profite". À part ça, non, ils ne m'ont rien fait…

— OK, OK… Et dis surtout qu'ils bossent avec ton frère!

— Entre fils de…

— Stop ! Je ne veux rien entendre ! Laisse maman Vollot en dehors de ces histoires ! »

Camille souriait, heureux comme un sale gosse d'avoir presque soufflé cette énormité. À voir son air ravi, Victoire savait que sa mauvaise humeur était passée, qu'elle n'était, une fois de plus, qu'une colère de nuages, l'une de ces dépressions qui montaient en un temps record et disparaissaient en quelques grognements dès qu'il entendait prononcer le nom d'un « gens de Montfort » tant personne, ici, ne trouvait grâce à ses yeux.

Bien qu'il fût un véritable enfant du village et le benjamin d'une famille appréciée de la communauté, depuis son retour et son installation dans la ferme de son grand-oncle, Camille n'était plus perçu que comme une sorte de marginal. Disons qu'il l'était par défaut, par curiosité déçue : les Montfortains, ne comprenant pas l'homme qu'il était devenu et voyant le peu d'intérêt qu'il manifestait pour la vie du village, apprirent à ne plus le considérer comme l'un des leurs. Une réaction d'autant plus étrange que, contrairement aux jeunes gens de sa génération, ceux nés dans les années 1980 et qui, les premiers, étaient en majorité partis étudier à Nantes, Angers ou Paris puis s'y étaient installés, lui était d'abord resté « dans le coin ». Non par manque de caractère ou de talent – Camille avait toutes les qualités pour s'imposer dans n'importe quel endroit du monde – mais par amour sincère de ce bocage vendéen où sa famille était connue depuis la nuit des temps.

Très jeune, à peine adolescent, il avait choisi la boucherie, métier de son père, au détriment de la menuiserie, possibilité offerte par son ascendance maternelle qui, même s'il fantasmait le romantisme du compagnonnage et du geste ancestral, lui semblait désormais limitée à la pose et à la dépose de cuisines dans des pavillons de lotissements. Après son apprentissage, il avait donc intégré Vollot Viande, l'entreprise familiale de négoce dirigée par son père, Jean-Pierre, et son frère aîné Romain, où il s'était vu confier le rôle lui correspondant le mieux, celui de boucher dans le magasin historique ouvert par son grand-père entre la boulangerie et le primeur et face à la basilique d'où sortaient toute la semaine des dizaines de fidèles venus se recueillir sur les reliques de saint Louis-Marie Grignion de Montfort, héros du catholicisme local mort en 1716 après avoir sillonné la Vendée – alors intégrée au Poitou – pour en faire disparaître toute trace du calvinisme qui y régnait depuis plus d'un siècle. Bâtisseur de calvaires, le prosélyte avait fondé trois ordres religieux dont l'activité avait façonné cette bourgade étrange surnommée «la ville sainte de la Vendée» qui comptait sept clochers, deux pensionnats privés – l'un de garçons, l'autre de filles, accueillant près de deux mille élèves – et deux congrégations de missionnaires que, dans le village, on appelait les frères du Saint-Esprit et les sœurs de La Sagesse.

En artisan-né, Camille adorait toutes les facettes de son métier. Aux côtés de Jacques, vieil ami de la famille que son père employait pour diriger la boucherie, il apprenait à choisir et à acheter les bêtes, à peaufiner ses techniques pour détailler la viande dans ses moindres contours autant qu'à tenir boutique. Tout cela lui convenait parfaitement et son entente avec Jacques, qui avait l'intelligence d'écouter les intuitions du jeune homme concernant le label bio, la viande maturée ou la qualité des produits d'épicerie, portait ses fruits. Leur travail était apprécié bien au-delà des limites de Montfort et, outre la clientèle aisée des villes alentour, de nombreux restaurateurs venaient s'approvisionner en côtes et entrecôtes parmi les étagères de leur chambre froide.

Le week-end il y avait souvent foule à la boutique, alors qu'à la fin des années 1990 la tendance était plutôt à la disparition des commerces de village. Le modèle de la grande distribution régnait alors en maître sur la consommation et la concurrence imposée par les supermarchés était devenue impossible à supporter. Les prix, bien que justes au regard de la qualité du travail de certains artisans, s'avéraient trop élevés pour une clientèle désormais habituée à faire ses courses dans les supermarchés plutôt que sur les places de bourgades et qui, en plus du faible coût de la viande en barquette et de la facilité d'usage qu'elle lui offrait, semblait lui accorder beaucoup de qualités, notamment celle de la «traçabilité», parade inventée par l'industrie pour contrecarrer les conséquences commerciales dramatiques de la crise de la «vache folle».

Nombreux étaient les bouchers qui fermaient boutique et préféraient devenir salariés du rayon «viande» de la supérette du coin. Les artisans qui tentaient de résister coûte que coûte en bravant les Goliath du CAC 40 perdaient vite la bataille. Leurs volumes de vente ne leur permettant plus de faire élever leurs propres vaches par des paysans qui, asphyxiés d'exigences sanitaires et d'emprunts, privilégiaient la sécurité de la demande des plates-formes logistiques, ils devaient se fournir en bêtes moins chères pour épargner leurs marges et initiaient ainsi un cercle vicieux qui scellait bientôt leur mort. La qualité s'en ressentant, leurs clientèles historiques, convaincues par les arguments des jeunes générations adeptes des grandes surfaces, les abandonnaient sans états d'âme, venant de moins en moins d'abord puis disparaissant.

Aussi, à cette époque, autour des tables endimanchées d'un rosbif, n'était-il pas rare d'entendre ce genre de conversations :

«Dis donc, elle est bonne ta viande, ma chérie. Tu l'as prise chez M. Machin?

— Non, maman, à la boucherie du Super U. Elle est bien meilleure que chez M. Machin et elle est cinq euros moins chère. De toute façon, même la viande en barquette est meilleure que chez M. Machin. La dernière fois que j'y suis allée, chez M. Machin, il fallait voir la tête de la vitrine. Tout était franchement limite. En plus, il a fallu que j'attende un quart d'heure pour être servie parce qu'il y avait toute une bande de poivrots qui picolaient dans l'arrière-boutique et que j'avais l'impression de les déranger. Alors, M. Machin, non merci !

— Tu as raison. Je n'y vais presque plus non plus. Seulement de temps en temps quand la messe est à Sainte-Anne. »

À l'inverse, Jean-Pierre Vollot, le père de Camille, en reprenant la boucherie familiale dans les années 1970, avait eu très tôt l'intuition que le commerce de proximité s'en sortirait par la qualité des produits proposés et la remise en cause permanente de la façon de servir pour satisfaire des clients de plus en plus intransigeants, lassés d'avoir à supporter la familiarité nonchalante d'artisans qui refusaient d'amender leurs mauvaises habitudes sous prétexte qu'« avant, on faisait comme ça ». Parallèlement, sentant venir la menace de la grande distribution, il avait sécurisé son réseau d'éleveurs en rachetant un petit abattoir et en développant la partie négoce en association avec des grossistes du marché d'intérêt national de Nantes, ce qui lui permettait aussi de répondre à la demande des services achats des grandes enseignes. D'un côté, la boucherie garantissait sa réputation et lui permettait de vendre ses meilleures bêtes. De l'autre, il fournissait de nombreux supermarchés du département en viande locale en s'assurant de bonnes marges.

De l'avis de tous les gens du coin, la création de l'entreprise Vollot Viande était une grande réussite.

Jean-Pierre Vollot en tirait beaucoup de fierté mais savait qu'il ne fallait pas s'arrêter en si bon chemin et que s'il avait réussi sa part du relais, d'autres défis ne tarderaient pas à s'avancer dont lui, d'une génération bientôt dépassée, ne comprendrait pas forcément les enjeux et que ses fils allaient devoir surmonter. C'est ainsi qu'avant le tournant des années 2000 cet homme au caractère tyrannique avait pourtant commencé, avec sagesse et bienveillance, à en céder la direction à son fils aîné, Romain, tout juste diplômé d'une école de commerce nantaise.

Romain Vollot était un garçon franchement sympathique et intelligent, doté lui aussi d'un fort caractère. Il avait toutes les qualités requises pour prendre la suite de son père mais, bien que ce dernier lui fît toute confiance quant à la gestion de la société, il savait que cet héritier, qui préférait le marketing des produits de négoce à la découpe des basses côtes pour le déjeuner de Mme Denise, n'était pas, contrairement à lui, un boucher dans l'âme.

Aussi Jean-Pierre Vollot avait-il vu d'un très bon œil, commercial autant que sentimental, la volonté de Camille d'apprendre son métier et de revenir s'occuper de la boucherie familiale, constatant rapidement qu'il était le maillon essentiel pour mener à bien le développement futur de la face artisanale de son entreprise, celle qui lui permettrait de s'agrandir en ouvrant de nouvelles boucheries ou en reprenant la location de bancs sous les halles commerçantes de grandes villes tout en lui assurant son label de qualité.

Au début de l'année 2001, l'avenir de Vollot Viande s'annonçait radieux. Que ce soit sur le plan professionnel ou familial, Jean-Pierre Vollot était un homme comblé et ne s'en cachait pas. Il aimait sa femme, Annie, deux de ses fils allaient suivre sa voie et faire fructifier son entreprise, et il ne doutait pas que le cadet, Antoine, qu'il admirait malgré leurs différends politiques et qui était parti étudier à Paris, deviendrait bientôt un homme important. Il avait fait sa part et pouvait envisager avec sérénité les quelque dix années qui lui restaient à travailler avant de se retirer des affaires pour jouir d'une retraite bien méritée.

Un événement tragique allait en décider autrement : le suicide d'Antoine qui, le 16 avril 2001, à l'âge de dix-neuf ans, décida de se jeter dans le vide depuis le parapet du viaduc de Barbin, ouvrage du génie construit pour permettre à l'ancienne voie ferrée d'enjamber la vallée de la Sèvre nantaise.

L'inattendu de cet acte et les circonstances assez floues qui l'entouraient jetèrent Camille Vollot, qui adorait ce frère de deux ans seulement son aîné, dans un profond désarroi. C'est lui qui découvrit le corps inanimé d'Antoine, face contre terre, parmi les buissons de genêts qui bordaient les contreforts du pont de chemin de fer.

Ce matin-là, il faisait un temps magnifique sur Montfort et Antoine, rentré pour quelques jours de vacances en famille, était sorti, comme à son habitude, se promener dans les bois voisins, autour du château de la Barbinière. S'inquiétant de ne pas le voir revenir pour déjeuner, Camille fut saisi d'un mauvais pressentiment et se précipita à sa recherche en suivant l'antique voie ferrée.

L'odeur folle des premières fleurs inondait l'air. Le ballast crissait sous ses pieds qui s'accordaient mal au rythme des traverses. Il était à bout de souffle lorsqu'il arriva à l'une des extrémités du viaduc distante de plusieurs centaines de mètres de la maison de ses parents. Il passa la tête par-dessus le parapet rouillé mais ne vit rien. Rassuré, il s'apprêtait à faire demi-tour lorsqu'il aperçut, à l'aplomb de la culée opposée, à trois cents mètres environ, la tache sombre que faisait un tas d'objets posés sur le sol.

Le viaduc n'était pas large, cinq mètres à peine, mais surplombait la vallée à une cinquantaine de mètres d'altitude et découvrait un panorama immense. La voie ferrée s'y étirait tel un fil à la merci du vent. En le traversant à toute allure, Camille fut saisi de vertiges. Il se sentit perdre tout contact avec le sol, survoler la rivière. Ses jambes se dérobèrent, il chuta lourdement. Sa tête bourdonnait. Le bras et la jambe gauches en sang, il réussit à se relever pour atteindre ce qu'il avait aperçu depuis l'autre côté : la paire de Doc Martens et le blouson d'Antoine plié avec soin.

Il se pencha au-dessus du garde-fou. Rien.

La végétation du coteau, vingt mètres en contrebas, où les fougères le disputaient aux

genêts, était déjà dense. Des vaches, à côté, brou-
taient paisiblement.

Camille dévala la centaine de marches creu-
sées à même le contrefort du pont avant d'apercevoir une forme dans les broussailles. Son frère
reposait là, aplati contre la terre sombre du sous-
bois. La glaise humide avait «capté» son corps,
il n'avait pas rebondi. Son visage était tourné
vers la gauche. Le crâne, ouvert du côté de l'im-
pact, laissait s'échapper du sang mais son profil
supérieur était intact. Il était magnifique, calme,
presque souriant; une divinité adolescente figée
dans sa fuite. Camille n'eut pas le courage de le
toucher. Il s'écroula de douleur à ses côtés dans
les vapeurs tièdes de l'humus.

Il ne revint à lui que bien plus tard, lorsqu'un
homme – un médecin – le saisit par les épaules
et le souleva de terre.

La nouvelle de la mort d'Antoine plongea la population de Montfort-sur-Sèvre dans la plus grande stupeur. Pour ces gens pieux et fatalistes dont les habitudes quotidiennes étaient encore imprégnées d'une austère rigueur, le suicide demeurait un tabou, un acte possible mais lointain.

Par son geste, Antoine Vollot insinuait que leur monde avait bougé d'un cran. Il les obligeait à reconnaître que les structures ancestrales de leur communauté n'étaient peut-être pas aussi éternelles qu'ils le croyaient et qu'ils avaient échoué à transmettre à leur descendance les fondements de cette discipline individuelle – mélange d'aveuglement et de résignation sourde – qui les avait jusqu'alors préservés.

Voilà presque cent ans que ce viaduc traversait la Sèvre nantaise sans que personne jamais ne songe à s'y jeter. Pourquoi lui? Pourquoi maintenant? Et si Antoine Vollot, qui n'avait laissé pour testament qu'une simple feuille blanche posée sur son bureau, n'était en fait que le premier de leurs enfants à s'immoler par le vide, que d'autres bientôt suivraient?

C'est sans doute unies par cette prémonition que des centaines de personnes venues de Montfort et de tous les villages du canton se pressèrent dans la basilique le jour des funérailles, pour se rassurer, pour essayer de se convaincre que, comme depuis si longtemps, les choses allaient finir par ne pas changer.

Sorti de son état de choc, Camille demeurait inconsolable. Si son malheur incitait à la compassion, sa réaction farouche à l'encontre de sa famille lui valut pourtant une réprobation générale. Portant des attaques d'une rare violence, il s'en prit à Romain et à son père, leur reprochant d'être directement responsables de ce suicide pour n'avoir cessé de brimer ce garçon délicat aux ambitions littéraires pour sa prétendue homosexualité.

La querelle s'envenima.

Les altercations entre les deux frères qui suivirent l'enterrement d'Antoine laissèrent présager le pire et Camille, préférant rompre toute relation avec sa famille, décida de quitter l'entreprise Vollot pour emménager à Nantes, dans l'appartement de sa petite amie, Victoire Cousin, étudiante en première année d'histoire.

À Nantes, où, comme dans la plupart des grandes villes, le commerce de proximité – revitalisé par l'apparition de cette nouvelle forme de bourgeoisie qualifiée de «bohème» par les magazines qui, par souci écologique et social, se montrait très suspicieuse à l'égard de la grande distribution – connaissait le phénomène inverse de ceux des bourgs comme Montfort-sur-Sèvre, Camille Vollot trouva aussitôt un emploi très bien rémunéré dans une boucherie réputée du boulevard Guist'hau.

Camille était brisé par la mort de son frère mais il se sentait capable de donner le change, de surpasser son traumatisme par le travail. Il reprit place derrière le billot, persuadé que cette rage qu'il nourrissait à l'encontre de sa famille pouvait déraciner et remplacer la douleur qui le consumait. Aussitôt, ses mains retrouvèrent leur agilité hypnotique au contact de la chair animale. Son savoir-faire était intact, certes, mais le cœur n'y était plus. Après quelques semaines de travail, alors qu'il avait grandi dans l'évidence de la viande, il commença à sentir sourdre en lui le dégoût de son métier en même temps que naissait la désagréable intuition que son existence avançait dans une voie sans issue.

Le soir du 11 septembre, au terme d'une épuisante journée de travail, la vue des deux avions percutant les tours du World Trade Center eut sur lui l'effet d'une bombe. La souffrance causée par la mort de son frère qu'il avait essayé d'enfouir tant bien que mal resurgit décuplée. La vision d'Antoine étendu sur le sol, la haine de sa famille, l'odeur devenue écœurante du sang et de la graisse, le ballet incessant des cadavres... Camille se sentit mourir à lui-même. En cet instant, se superposant aux images apocalyptiques de l'attentat, le monde de son enfance lui apparut totalement détruit. Pris de convulsions, il se mit à hurler durant de longues secondes avant de sombrer, mutique, dans une profonde dépression.

Les spécialistes diagnostiquèrent un trouble de stress post-traumatique appelé syndrome de Broca. Camille Vollot était devenu aphasique. Abattu, il se laissait aller à d'interminables phases d'atonie et ne prononçait plus que de rares paroles à l'intention exclusive de Victoire. Pour les autres, il demeurait muet, échangeant avec eux par le biais d'une ardoise qu'il gardait toujours avec lui ou des papiers de circonstance.

Il fallut tout l'amour de Victoire pour que, jour après jour, semaine après semaine, Camille reprenne un tant soit peu «goût à la vie» et trouve la force d'assumer un travail occasionnel de manutentionnaire dans un entrepôt de logistique. Cependant, la situation ne s'arrangeait pas et aucun médecin ne se risquait au moindre pronostic concernant une éventuelle rémission.

Il fallait de la patience, répétaient-ils.

De la patience! Victoire ne pouvait plus entendre ce mot. Chaque jour, elle se demandait si elle aurait la force de tenir, d'assister impuissante à la déchéance de ce jeune homme autrefois si solaire que la souffrance tenait maintenant entre ses doigts sadiques. Il ne faisait aucun doute qu'elle aimait profondément Camille, mais la réalité n'avait rien à voir avec la vie des saintes. Qu'avait-elle fait pour mériter cela? Elle n'avait même pas vingt ans, aimait rire, danser, s'amuser et découvrait avec bonheur les joies de la vie étudiante. Elle aurait aimé vivre sans autre contrainte que celles imposées par ses études. Il lui fallait pourtant consacrer du temps à Camille qui, de son côté, ne sortait que pour aller travailler et, aussitôt rentré, restait de longues heures immobile près de la fenêtre, lisant à grand-peine ou fumant des joints de cannabis pour tenter d'apaiser son esprit constamment en éveil, assailli d'images furieuses.

Il refusa bientôt de voir quiconque avait un rapport avec son enfance et coupa les ponts avec tous ses anciens amis, même les plus proches qui, résignés, se contentèrent d'appeler Victoire de temps à autre pour prendre des nouvelles. Il se barricadait dans une solitude que Victoire ne supportait plus et ses reproches, semaine après semaine, se faisaient plus pressants. Leur amour s'étiolait. Ni l'un ni l'autre n'en était dupe mais il fallait bien vivre, préserver les apparences d'une relation heureuse malgré ce choc qui la rendait impossible et que le temps changeait peu à peu en un tableau pathétique.

Chaque jour, le moment de retrouver Camille paraissait à Victoire une épreuve encore plus insurmontable. Bientôt, elle préféra rester à la bibliothèque pour travailler plutôt que de rentrer entre les cours, puis elle prit l'habitude de prolonger les journées dans les cafés, chez des amis, au cinéma. Elle était si belle et drôle que tous les garçons qui la rencontraient tombaient aussitôt sous son charme. Victoire était de nature joueuse et séductrice mais, depuis qu'elle était amoureuse de Camille, à part quelques rares exceptions, elle n'avait jamais eu besoin de se «forcer» à la fidélité.

Désormais, plus les semaines passaient, toujours plus lourdes d'absence, plus elle sentait que son corps lui ordonnait de répondre à l'atonie de Camille, de contredire cet abandon, de flirter, de séduire. Aussi marchait-elle sur un fil, succombant parfois, quelques baisers, des caresses, mais finissant par repousser tant bien que mal les avances avec tact et désinvolture, non pas qu'elle fût insensible à ces assauts de légèreté, au contraire, mais parce qu'elle savait que Camille, nonobstant sa violente indifférence, ne survivrait pas à leur rupture, qu'il n'attendait d'ailleurs peut-être que ce moment pour commettre l'irréparable alors qu'elle demeurait convaincue – et ce, presque « malgré elle » – qu'il finirait par se relever de cette épreuve.

C'est d'ailleurs ce qu'elle répétait à ses amis et surtout à ses parents qui, sortis de leur réaction de compassion initiale, désespéraient maintenant de voir leur fille s'enfoncer dans une histoire sans issue. Elle rassurait aussi sa belle-famille, avec qui elle entretenait toujours de bonnes relations à l'insu de Camille. Elle échangeait souvent avec Romain, l'aîné des Vollot, très inquiet de la santé de son frère, qui, lorsqu'il venait à Nantes pour ses affaires, ne manquait jamais l'occasion d'inviter Victoire à déjeuner. Ils avaient pris l'habitude de se retrouver dans un petit restaurant du quartier Saint-Mihiel donnant sur les quais de l'île de Versailles.

C'est ici, presque un an après la mort d'Antoine, que Romain lui fit part de son idée de faire hospitaliser Camille :

« Écoute, Victoire, tu ne peux pas assumer cette charge seule. Tu vas y laisser ta peau. Je suis allé consulter plusieurs spécialistes qui m'assurent qu'un séjour en clinique psychiatrique pourrait aider Camille à sortir de sa torpeur. Ma mère a peur de perdre un autre fils. Elle ne s'en remettrait pas. Ce n'est pas du tout contre toi, tu sais bien qu'elle t'aime largement autant que nous, mais elle se sentirait rassurée de le savoir dans une clinique plutôt que livré à lui-même. Voilà plus de six mois qu'il a eu son accident et qu'il ne parle plus. Il est en train de sombrer dans la folie. S'il lui arrive quoi que ce soit, comment feras-tu?»

Victoire écouta Romain sans l'interrompre. Sa proposition était brutale, certes, mais elle ne perçut d'abord aucune méchanceté dans cette démarche, plutôt l'aveu de leur impuissance. Romain et sa mère cherchaient sans doute sincèrement les meilleures solutions – même si elles pouvaient lui sembler exagérées – pour protéger Camille. Après tout, n'y avait-elle pas songé elle-même, imaginant qu'une hospitalisation la soulagerait d'un poids immense ou, cédant à sa mauvaise foi, qu'elle serait peut-être le déclencheur d'un processus bénéfique pour Camille? Elle ne pouvait pour autant s'y résoudre.

«Tu peux rassurer ta mère : Camille ne se tuera pas. Il est malade, il souffre, mais il peut surpasser cette douleur. J'en ai la conviction et je veux rester à ses côtés. Je le protégerai, faites-moi confiance.»

Elle marqua une légère pause et fit glisser sa main sur celle de Romain.

«Quant à moi, je vais bien. Je tiens mes propres comptes à l'injustice.»

Au moment où Victoire avait prononcé ces paroles, sans qu'elle en ait pour autant acquis une parfaite conscience, le cours des choses avait déjà amorcé sa sourde métamorphose.

Après l'arrivée de Camille à Nantes, le couple avait emménagé dans la petite dépendance – deux étages de vingt mètres carrés chacun – d'un hôtel particulier du quartier Monselet. La propriétaire des lieux, une dame âgée selon les dires de l'agent immobilier qui leur avait trouvé cette aubaine, n'y venait jamais. Cette annexe avait été refaite à neuf et l'on y accédait par une allée longeant l'enceinte. En face, le bâtiment principal, haut de trois étages et large de six fenêtres symétriquement alignées de chaque côté d'un pignon central, gardait ses volets fermés, préservant de la rue un gigantesque jardin totalement à l'abandon. Les ronces, les orties et les herbes folles s'y confondaient avec les rosiers et les framboisiers, atteignant les branches des quelques arbres fruitiers qui émergeaient encore.

Le jour de la visite, le jeune homme de l'agence, dont les cheveux parfaitement peignés semblaient effrayés par ce désordre indescriptible, s'en excusa presque :

«Comme je vous le disais, Mme Perrault ne vient jamais. C'est nous qui sommes obligés de demander à un jardinier de passer de temps en temps pour couper les ronces qui dépassent sur le chemin et pour que les locataires puissent garder l'accès à la dépendance. On lui a dit qu'elle exagérait mais elle ne veut rien savoir. C'est une sacrée tête de mule !

— Ne vous inquiétez pas, l'avait rassuré Victoire, c'est très bien ainsi.»

Les premiers mois, Camille restant prostré, ils ne s'en soucièrent pas et l'hiver passa sans qu'ils pensent à couper la moindre brindille. Au printemps, quelques semaines après que Romain eut proposé à Victoire son hospitalisation, Camille reprit le travail de façon plus assidue à l'entrepôt de logistique et, durant son temps libre, encore livré à ses moments de naufrage, il commença à observer ce fouillis végétal depuis sa chambre du premier étage.

Il remarqua que ce petit parc qu'il pensait avoir été conçu pour l'agrément semblait structuré avec un soin méticuleux selon un plan qui lui échappait. Adossé contre l'autre mur d'enceinte, il laissait deviner le squelette d'une serre désaffectée invisible depuis l'allée tout comme les traces d'une ancienne mare d'où s'éloignaient des parterres abandonnés en cercles concentriques. Autour, encadrant l'ensemble de leurs géométries, plusieurs allées ponctuées de fruitiers et de rosiers semblaient constituer les derniers vestiges évidents d'organisation.

Patiemment, sous l'œil encourageant de Victoire, les jours où il trouvait quelques forces, Camille commença à défricher, coupant d'abord les ronces les plus proches puis libérant peu à peu les circulations jusqu'à la serre et la mare desséchée. Le plan de l'ensemble ne ressemblait à rien de ce qu'il connaissait. Au fur et à mesure de son avancée, il avait dégagé certains massifs formant des sortes de buttes, d'autres encadrés de grandes boîtes en bois presque pourri.

En débroussaillant, il s'étonna que les variétés potagères qui avaient survécu, comme le fenouil, le thym, la guimauve ou les pois, se trouvent souvent mélangées au même endroit, comme si elles avaient été cultivées côte à côte, ce qui, dans le souvenir qu'il gardait du potager de son grand-père, lui semblait impossible.

À l'automne, le parc était nettoyé en grande partie et Camille entreprit de planter une dizaine de rosiers et de petits arbres pour réparer et harmoniser la structure d'enceinte.

Au printemps suivant, il avait reconstruit une partie de la serre et s'essayait à ses premiers semis.

Deux ans après la mort de son frère, il commençait à retrouver du plaisir à vivre et de la vitalité. Si la souffrance assombrissait encore ses moindres gestes, ses crises d'apathie s'espaçaient et sa relation avec Victoire, qui préférait désormais étudier à leur appartement plutôt qu'à la bibliothèque, s'apaisait.

Un jour qu'il travaillait dans la serre, agenouillé pour vérifier des pots de jeunes pousses, il entendit s'avancer dans son dos quelqu'un qu'il prit pour sa petite amie.

« C'est vous qui essayez d'entretenir le jardin ? Merci pour vos bons sentiments mais vous n'y connaissez rien. Je préférerais donc que vous vous mêliez de ce qui vous regarde et que vous laissiez la nature tranquille. »

Surpris, Camille se retourna. Face à lui se tenait une petite femme aux cheveux blancs, en jean et chemisier, un foulard vert noué autour du cou, qui le scrutait de ses yeux bleus :

« Votre bail ne vous accorde aucun droit quant à l'usage du jardin, me semble-t-il. »

Cela dit, elle lui jeta les plants de tomates qu'elle avait arrachés en passant. Camille fouilla sa poche pour en extraire un bloc et un stylo. Il griffonna quelques mots à la hâte et les lui tendit : « Désolé. Muet. Je vais vous expliquer. »

Victoire, qui, de leur appartement, avait aperçu la propriétaire avancer vers la serre, s'était précipitée à sa rencontre pour faire connaissance. Elle eut à peine le temps de se présenter :

« Bonjour madame, Victoire Cous…

— Peu m'importe ! Je vous répète ce que je disais à votre ami : vous êtes locataires de ma dépendance, rien de plus. Je vous laisse quelques heures pour débarrasser toutes vos verrues et y retourner. Si j'avais eu besoin d'un jardinier, j'aurais su où le trouver.»

Sur ces paroles, elle disparut vers la maison. Camille était désemparé et commençait à rassembler ses pots. L'espoir de guérison que nourrissait Victoire venait de s'envoler. Elle tenta pourtant de rassurer Camille :

«Ne t'inquiète pas mon chéri, on va tout arranger. Je vais aller lui expliquer. De toute façon, cette vieille bique n'est jamais là…»

Au moment où elle prononçait cette phrase, Mme Perrault entrait de nouveau dans la serre pour rendre son bloc à Camille :

«Dommage pour vous mon enfant, la vieille bique vient justement de vendre sa maison à La Baule pour revenir s'installer ici. Si l'odeur du crottin vous insupporte, vous connaissez le numéro de l'agence qui gère votre maisonnette. Voyez avec eux quelles sont les conditions pour rompre le bail. Bonsoir.»

Cette fois, la cause semblait entendue. Camille passa la fin de la journée à regrouper ses affaires et ranger ses préparations.

Le soir, abattu par cette malchance, il se laissa aller à sa torpeur, effrayant Victoire qui, mesurant l'ampleur de son abattement, pensa le voir revenu à son état mental de l'année précédente. Camille néanmoins refusa de s'avouer vaincu. Il ne comprenait pas ce qui pouvait déranger sa propriétaire. Quelle importance ? Pourquoi ne voulait-elle pas le laisser cultiver son parc ? N'était-ce pas mieux que de l'abandonner ?

Durant la nuit, il se ressaisit, se décidant à lui écrire pour la convaincre de revenir sur sa décision. Il sortit son bloc et l'ouvrit. Sous les mots qu'il avait tracés à la hâte cet après-midi lorsqu'elle l'avait surpris dans la serre, il vit qu'elle avait ajouté quelques lignes avant de lui rapporter son carnet : « La culture de la terre est un langage. Aucun monde n'existe sans parole, sinon le désespoir. »

La formule était solennelle mais résonna étrangement en lui. Il songea à la feuille blanche que son frère avait laissée sur son bureau avant de se jeter du pont, au silence des corps qui chutaient le long des tours du World Trade Center, à la gueule de cri figé des veaux qu'il avait débités par dizaines lorsqu'il était boucher, aux mornes champs de terre sèche et muette qu'étaient devenues les prairies de son enfance ravagées par des décennies de culture intensive...

Le lendemain matin, il sonna à la porte de sa propriétaire. Mme Perrault, habillée en pantalon et chemise – une tenue si peu orthodoxe pour une femme de la bourgeoisie nantaise de son âge que cela renforçait son autorité naturelle –, lui ouvrit sans formalité. Si elle ne semblait pas spécialement heureuse de cette visite, elle ne s'en montra pas surprise et ses yeux, remarqua Camille, étaient moins durs que la veille.

« Ah, monsieur le locataire jardinier, oui.

Entrez, je vous en prie. Venez avec moi dans la cuisine, je suis en train de faire du café. Vous en prendrez bien une tasse avec moi?»

Camille la suivit dans l'entrée puis dans un premier couloir sur la droite. Avant de pénétrer dans la cuisine, il aperçut l'enfilade de la salle à manger et du salon où tous les meubles étaient encore couverts de protections.

«Excusez-moi pour le bazar, comme vous le savez je ne suis rentrée qu'hier et je n'ai pas encore eu le temps de m'installer. D'ailleurs, j'ai été un peu brutale avec vous et...

— Ju... Jus-tement...»

La vieille femme s'arrêta et le fixa avec un large sourire :

«Vous parlez aujourd'hui?

— Je... je...»

Camille ferma les yeux et inspira profondément. Il voulait à tout prix réussir à s'exprimer.

«Je... suis a... pha... sique. A... a... ccident...»

Elle posa sur lui un regard bienveillant. La dureté de ses yeux bleus avait totalement disparu.

«Votre ja... jardin est... trèèèèès im... important pour pour moi. Je je ne l'ai... pas pas... com... pris mais je mais je vou... lais seul'ment lui lui re... donner... ner vie...»

Il souffla, épuisé par cet effort de concentration.

«Je sais et j'ai pu constater, à l'état des pommiers que vous avez plantés, que vous possédez même certaines qualités. Seulement, comme je vous l'ai écrit, la culture du sol est un langage qu'il faut apprendre. Il ne suffit pas d'avoir de l'instinct et de prononcer de jolis mots par-ci par-là mais de raisonner à une échelle plus vaste, celle de l'écosystème. Ce jardin, que vous avez trouvé complètement à l'abandon, n'était pas l'œuvre d'un jardinier. C'est moi qui l'ai façonné durant des années et c'est moi qui ai décidé de le laisser disparaître.»

Camille la toisa d'un air admiratif :

«Vous ? A… appre… nez-moi.»

Étonnée par la volonté du garçon qui se tenait face à elle, la femme, assise sur une chaise en perpendiculaire de la table où elle avait posé son bras gauche, le fixa longuement :

«Dans ce cas, il se pourrait que je change d'avis et, comme je n'ai plus la force ni l'envie de m'en occuper, il se pourrait aussi que j'aie besoin de quelqu'un à mes côtés. Suivez-moi.»

Elle le fit entrer dans une pièce attenante à la salle à manger, une bibliothèque dont les rayonnages avaient eux aussi été protégés par de grands dais de tissu. Elle repoussa l'un de ces rideaux pour dégager l'accès à une partie des livres et les montrer à Camille.

«Avant de toucher les outils, il va vous falloir lire quelques pages. Nous commencerons quand vous aurez le temps. Venez quand vous pouvez. Vous en profiterez pour m'aider à remettre la maison en ordre. Ce bazar me déprime !»

Cette proposition d'Anne-Marie Perrault bouleversa la vie de Camille. Deux fois par semaine, il prit l'habitude de traverser le parc pour se rendre chez sa propriétaire, dont il comprit rapidement qu'elle n'était pas n'importe qui.

Fille aînée d'une famille de grands propriétaires terriens née en 1929, Anne-Marie Perrault était sortie diplômée de l'Institut national agronomique en 1955 avant d'être affectée au développement des engrais et des produits phytosanitaires au laboratoire de l'usine pétrochimique Riedel-Eichmann installée sur le port de l'Estaque à Marseille.

La France et l'Europe étaient engagées sur l'avenue euphorique des Trente Glorieuses et, si l'or avait jusqu'alors fait courir les hommes, c'était désormais le pétrole qui imbibait toute l'humanité. La chimie régnait sans partage sur le monde. Enfant marquée par les atrocités et les privations de la guerre, Anne-Marie Perrault s'était longtemps montrée enthousiaste face à ces progrès incontestables. Elle y contribua à sa manière jusqu'à la fin des années 1960, date à laquelle les premiers tests dénonçant la nocivité des produits de l'industrie pétrochimique sur l'environnement, suite à la découverte de nombreuses pollutions aquatiques, furent rendus publics. La direction de Riedel-Eichmann, aidée par les instances publiques, organisa la réplique et diligenta ses propres études aux résultats outrageusement flatteurs. On demanda à Anne-Marie Perrault de les cautionner, ce qu'elle refusa.

Quelques semaines plus tard, elle donnait sa démission et décidait de s'embarquer, seule, pour un périple « ethnoagricole » durant lequel elle allait sillonner une vingtaine de pays sur tous les continents afin d'y étudier les méthodes d'agriculture vivrière les plus naturelles et les plus efficaces. Elle acquit très vite la certitude que l'humanité faisait une erreur historique en pensant que la chimie – dont les capacités seraient bientôt amplifiées par les nouvelles technologies et l'informatique – était l'outil tant attendu de sa délivrance, celui qui allait enfin lui permettre de s'extraire du monde, de ne plus avoir à se soucier de ses exigences, allant jusqu'à refuser d'assumer sa part de responsabilité dans ses aléas, dus, notamment, à son inconséquence énergétique. À son sens, notre société postmoderne, dont le modèle de production en ligne contredisait celui, cyclique, de la nature qui n'utilisait pas de ressources fossiles ni ne générait de déchets, négligeait une notion fondamentale : la nécessité de liens multiples et réciproques entre les choses vivantes.

Durant les années 1970, à l'époque où la France, inspirée par le modèle américain, se lançait dans l'aménagement de son territoire et son grand projet de remembrement des terres agricoles pour y faire entrer les emblèmes de la modernité – machines, semences industrielles et engrais –, Anne-Marie Perrault publia de nombreux articles, faisant état de ses observations sur les agroécosystèmes à travers le monde, notamment les jardins-forêts d'Amazonie ou d'Afrique.

Seuls quelques chercheurs, très minoritaires, pressentaient comme elle l'impasse de l'ère «pétrolifique» et s'intéressaient aux systèmes de fertilisation permanente des sols peu coûteux en énergie, sans labour ni intrants. Anne-Marie Perrault comptait parmi les pionniers de cette pensée agronomique révolutionnaire et sa bibliothèque, que découvrait Camille jour après jour, était pleine des travaux de scientifiques affranchis comme Cyril G. Hopkins, Franklin Hiram King, Joseph Russell Smith, Percival Alfred Yeomans, Masanobu Fukuoka ou encore Howard T. Odum qui inspireraient bientôt Bill Mollison et David Holmgren dans la synthèse de ces méthodes sous le nom générique de «permaculture».

Aussi, à l'image de son ami Robert Hart à Wenlock Edge, dans le centre de l'Angleterre, Anne-Marie Perrault avait-elle décidé de mettre en application ses observations en créant de toutes pièces un jardin-forêt dans les cinq mille mètres carrés du parc de son hôtel particulier. Son souhait initial était de prouver qu'il était possible de soustraire l'agriculture au diktat naissant de l'industrie pétrochimique qu'elle savait, pour l'avoir observée de l'intérieur, uniquement guidée par ses intérêts financiers et totalement irresponsable.

Camille se plongea dans cette manne de connaissances avec la soif d'un naufragé. Peu à peu, Anne-Marie, de plus en plus impressionnée par les aptitudes de son disciple, lui expliqua les relations entre les plantes, les rôles multiples que chaque espèce jouait au cœur de l'écosystème, l'importance de ces structures qu'il n'avait pas comprises en défrichant le parc, de toutes ces essences mêlées qu'il avait arrachées en les prenant pour de la mauvaise herbe, de ces buttes entourant la mare asséchée, de ces puits de *terra preta* qu'il avait comblés dans son ignorance et, sous sa direction, lui permit de redonner vie à l'ensemble originel.

En quelques mois, Camille se métamorphosa littéralement. Il partageait désormais ses semaines entre l'entrepôt de logistique et le parc d'Anne-Marie qui le salariait à mi-temps pour son travail de jardinier, cependant que Victoire poursuivait ses études et préparait son agrégation. Il reprit jour après jour le contrôle de sa parole et ses longues plages d'atonie s'espacèrent jusqu'à n'être plus que de lointains souvenirs.

Lorsque les médecins constatèrent la guérison complète des symptômes de son aphasie, cinq années s'étaient écoulées depuis le suicide d'Antoine.

À cette époque, un soir où Victoire, comme souvent, avait réuni quelques amis de l'université pour un dîner, la conversation roula sur la guerre de Sécession, sujet au programme de l'agrégation. Donatien, l'un des fidèles de la bande, fils de famille catholique bon ton, s'était fait remarquer durant le cours du matin en soutenant une comparaison entre cette guerre américaine et l'histoire biblique d'Abel et Caïn.

Victoire, qui n'avait pas saisi tous les rouages de son argumentaire, le lança sur le sujet :

«Qu'est-ce que tu racontais ce matin, pendant le cours de Biraud, sur Abel et Caïn? J'étais occupée à autre chose. Je n'ai pas du tout suivi.

— Oh, rien de spécial. Je le chauffais un peu en lui disant qu'il aurait pu être intéressant – amusant, au moins! – de faire une lecture biblique de cette guerre.

— Attends, peux-tu me rappeler l'histoire? Je ne sais jamais lequel a tué l'autre…

— Ce sont les deux fils d'Adam. Abel est éleveur et, un jour, offre de la viande à Yahvé. Caïn, en bon cultivateur, des légumes. Seulement, Dieu ignore l'offrande de Caïn qui, fou de rage, tue son frère. Yahvé est abasourdi. Il ne comprend pas comment cette créature a pu tuer son frère de la sorte alors qu'il n'avait juste pas envie de manger ses haricots verts et ses courgettes. Il le bannit et le condamne à errer éternellement sur les routes.

— Quel est le rapport avec les États-Unis et ce brave Lincoln?

— C'est là que ça devient intéressant. Partons du principe que l'Amérique était un nouvel éden pour l'humanité et notamment tous les émigrés d'Europe occidentale. Alors, le Nord, peuple des villes gigantesques construites autour des abattoirs et des boucheries, New York, Chicago, serait Abel. Le Sud, peuple de cultivateurs, maîtres des grands espaces de la ceinture de coton, serait Caïn.

— Et la Sécession serait le meurtre?

— Exactement. Ce meurtre qui jette l'opprobre éternel sur la race de Caïn, qui (il se leva pour déclamer, la main sur le cœur :) "dans la fange rampe et meurt misérablement". Ce n'est pas moi, c'est Baudelaire qui l'a dit. Et c'est vrai, tout le monde déteste le Sud. La terre entière les considère comme des bouseux racistes tout juste bons à voter pour Bush.

— Depuis, ils ont appris les rouages de la boucherie. Ne serait-ce qu'au Texas qui est un abattoir à ciel ouvert.

— Oui, ils sont devenus Abel à l'échelle du monde. Ils n'attendaient plus que leur Caïn et il est arrivé : Al-Caïnda !»

Les rires qui suivirent se changèrent en plaisanteries et, pendant quelques minutes, les conversations s'éloignèrent un peu du sujet pour y revenir :

«Elle est quand même étrange cette histoire. Yahvé condamne Caïn alors que c'était son frère qui tuait des animaux. En fait, elle signifie seulement que Dieu déteste les paysans et les végétariens, non ? Les gens sobres, quoi ! lança Victoire à Donatien.

— Je ne sais pas si j'irais jusque-là, ma chère. Il vaut quand même mieux tuer un agneau que son frère, tu ne crois pas ? Elle dit surtout que le combat entre le Bien et le Mal ne cessera jamais. Que depuis le meurtre commis par Caïn, la violence a fait irruption dans le monde. Pour le reste, encore heureux que Dieu préfère les carnivores. Végétarien, moi ? Jamais !

— Ah ah ah ! Donatien, tu vas trouver ton public. Je te rappelle que tu parles en présence d'un ancien boucher, répondit Victoire en désignant Camille.

— Mauvais choix. Désolé de te le dire, Camille, mais tu es devenu jardinier et tu n'aurais pas dû. Cette histoire, c'est l'assurance tous risques pour les bouchers. D'ailleurs, si j'ai un fils, je le mets illico en CAP. Avec une telle propagande, ce métier ne disparaîtra jamais. Il est écrit que Dieu a préféré l'offrande de viande : feu vert à tous les holocaustes d'animaux jusqu'à la fin des temps.

— Et c'est justement le problème, reprit Victoire. Je crois que c'est Tolstoï qui disait que tant qu'il y aurait des abattoirs, il y aurait des champs de bataille.

— Mais, mais... puisque Dieu le veut !

— Quel imbécile tu fais. Et vous, qu'en pensez-vous, Anne-Marie ? demanda Victoire.

—Vaste sujet, ma chère. Il me semble que la Genèse est intéressante justement pour ce qu'elle dit de notre rapport trop manichéen au monde. Les lectures moralistes ont tendance à encenser les personnes qui se soumettent aux règles de nos sociétés, à opposer le Bien, le Mal... Mais les hommes sont plus ambigus ou plus pragmatiques, disons : ils détestent Caïn plus qu'ils n'aiment Abel.

— Pourquoi ? s'étonna Donatien.

— Parce qu'ils sont fascinés par sa puissance, même obscure, cette puissance qui, avant même le passage à l'acte, est une hypothèse de recommencement. Ce n'est pas un hasard si tous les tentateurs et tous les escrocs ont justement le don de flatter ce désir de pouvoir.

—Tous les hommes ne succombent pas pour autant.

— Non, c'est vrai, mais, en l'occurrence, Caïn n'est pas en mesure de contrôler la possibilité qui lui est offerte. Lorsqu'il est bien traduit, le texte de la Genèse révèle clairement ce point de basculement. En refusant son offrande, Yahvé fait comprendre à Caïn qu'il lui donne l'occasion de se sublimer, que contrairement à son frère Abel qui remplit sans surprise sa fonction il peut devenir un homme important, un guide pour l'humanité s'il prend conscience que le désir de la Faute – chose rare! – peut se tourner vers lui, se coucher à ses pieds; qu'il peut être à lui.

— Qu'est-ce que vous appelez la Faute?

— L'énergie contraire, la colère, l'orgueil, celle qui permet l'équilibre sans connotation morale; une irrésolution bénéfique. Son "désir" est une force dont Caïn doit prendre possession pour devenir un "vrai" humain, un être capable d'embrasser l'amour universel dans toute sa complexité, l'égal de Yahvé et non un subordonné réagissant à ses flatteries ou à son dédain. Si on pousse le raisonnement, on peut même considérer que cette histoire est un aveu de Yahvé qui confie à Caïn qu'il n'existe pas et lui indique qu'il doit préférer la voie de son frère, celle de la vie, de l'amour.

— Au lieu de cela, comme toute la descendance d'Adam qui finira noyée, Caïn exaspère et déçoit Yahvé. Il tue son frère Abel et tombe dans l'oubli puisque sa mort n'est même pas mentionnée dans la suite du texte... C'est bien ce qui se passe, n'est-ce pas?

— Hélas, le mal était fait. Par cette réaction d'orgueil, Caïn a sacralisé un contresens à la parole de Dieu en la rendant plus importante que la vie de son frère : il a échangé sa puissance humaine contre un certificat d'irresponsabilité.

— Si je vous comprends bien, lui rétorqua Donatien, nous descendons de dangereux imbéciles.

— Libre à vous de continuer à vous en inspirer. Je dis seulement que la Bible est un livre de désespoir. Dès les premières pages, Yahvé est navré par la bassesse de l'homme. Non pas pour des histoires de Bien ou de Mal, ou de je ne sais quoi, mais parce qu'il comprend, au contraire, que cette créature est incapable de s'élever à la complexité de ce qui serait un "ordre universel du monde", qu'elle ne sait que suivre des sentences. Alors, le Lévitique. Plutôt que de continuer en vain à lui montrer la voie vers l'affranchissement, il décide de lui donner des ordres et de le terroriser. Désormais, ce sera blanc ou noir. Malgré des siècles d'exégèse souvent brillante, nous en sommes aujourd'hui revenus là : à un degré de conscience proche de zéro.

— Vous pensez que, malgré tous les progrès scientifiques, l'humanité régresse ?

— Du point de vue de la conscience du monde, bien sûr. Victoire a raison. Assassiner des hommes ou des vaches, c'est pareil. C'est simpliste. Le meurtre, quel qu'il soit, maintient notre conscience à son plus bas niveau. Au fond, l'important n'est pas que l'homme devienne végétarien et qu'il nie le meurtre, mais qu'il en assume le désir en pleine conscience, comme les peuples indiens d'Amérique du Nord, par exemple, que vos Abel et Caïn de colons ont massacrés. D'ailleurs, l'histoire de ces frères est un motif commun à l'humanité. Dans les traditions de tous les peuples qu'il m'a été donné de rencontrer à travers la planète, il survit des légendes qui s'y apparentent, mais ce sont des récits qui rappellent à l'homme son devoir de conscience du monde, jamais des carcans moraux. »

À l'autre bout de la table, Camille écoutait avec la plus grande attention. Il pensait à ses frères, à ses parents. S'il ne se sentait pas encore prêt à pardonner la mort d'Antoine à sa famille, cette conversation sur la guerre de Sécession et l'épisode biblique d'Abel et Caïn avait subitement délié le nœud formé entre son histoire personnelle et le traumatisme du 11 septembre. Il venait d'avoir vingt-trois ans. Sa parole et son désir retrouvés, il devait désormais penser à son avenir.

Le hasard voulut que, quelques semaines plus tard, un ami de passage lui apprenne la mort récente de l'un de ses lointains parents, Yves Vollot. L'homme avait toujours vécu seul et, à sa mort, aucun héritier direct n'avait souhaité reprendre la tête de son exploitation. Sa ferme, La Ville aux Voies, se trouvait donc en vente à des conditions intéressantes.

Camille adorait cette métairie des hauteurs de Montfort-sur-Sèvre et la connaissait par cœur pour y avoir joué, enfant, durant des journées entières avec ses frères. De son côté, Victoire venait de réussir son agrégation et pouvait désormais briguer un poste de professeur à Saint-Gabriel, le grand pensionnat de garçons du village. À la surprise de Camille, elle était même très heureuse de revenir vivre à Montfort. Le moment leur semblait propice mais il restait néanmoins un problème de taille à régler : l'argent.

La Ville aux Voies était une belle ferme. L'exploitation était grande et ses bâtiments, malgré leur mauvais état, possédaient une importante valeur foncière, sans compter que son adaptation à la permaculture nécessiterait un investissement considérable. Coupé du soutien de sa famille, Camille devinait qu'aucune banque ne consentirait à le suivre dans cette entreprise. Il s'en ouvrit à Anne-Marie qui n'hésita pas longtemps.

Ce projet était l'occasion, pour la première fois, de mettre en application à une échelle commercialement viable tous les préceptes qu'elle avait étudiés. Durant ces récentes années nantaises, elle avait pu mesurer les aptitudes particulières de Camille pour la culture de la terre et cette volonté hors du commun qui lui avait donné la force de vaincre sa maladie.

Cependant, si elle appréciait Camille pour sa force et son idéalisme, sans doute aimait-elle encore plus Victoire, avec qui elle avait noué une étroite relation d'intimité. Elle admirait son besoin d'enracinement. Elle le trouvait juste et il lui rappelait – même s'il en était apparemment l'exact opposé – son envie d'initiation qui l'avait fait s'embarquer dans son périple autour du monde à la fin des années 1960. Anne-Marie Perrault avait trouvé en Camille un successeur idéal, certes, mais elle craignait ses faiblesses. Or, il lui semblait que Victoire n'en avait aucune et cela la rassurait. Elle aida Camille à chiffrer l'ensemble du projet et lui prêta la majeure partie de l'argent nécessaire à leur installation.

À l'automne 2007, six ans après la mort de son frère, Camille Vollot se porta donc acquéreur de La Ville aux Voies, une exploitation de quarante hectares qui jouxtait l'ancienne gare désaffectée et une usine fabriquant du matériel de palettisation autrefois spécialisée dans les tapis roulants que les gens de la région, dans leur langage si singulier mêlant rudesse paysanne et humour naïf, surnommaient le «Monte-Vite».

Durant les six années qui s'étaient écoulées depuis son départ, Camille, toujours fâché avec sa famille, n'avait pas remis un pied à Montfort-sur-Sèvre. Aussi, lorsqu'elle fut connue de tous, sa décision de revenir s'installer à La Ville aux Voies occupa-t-elle une large place dans les conversations du village. Pourquoi revenait-il? S'était-il réconcilié avec son frère Romain? Rentrait-il pour le tuer? Toutes ces questions restèrent en suspens car, même si tout le village le guettait, Camille ne reparut pas pour y répondre, ni au café, ni sur les bords du terrain de football les jours de match de l'équipe première, ni aux fêtes du village. Même Annie, sa mère, qui avait espéré le revoir, ne reçut pas le moindre coup de téléphone. Elle en fut profondément attristée mais elle pardonna à ce fils ingrat, s'accrochant au faible espoir d'une prochaine réconciliation; au moins, depuis son retour, n'était-elle plus seule à fleurir la tombe d'Antoine.

Dans les faits, Camille n'avait surtout pas de temps à perdre : pour mener à bien son projet, il lui fallait tout reprendre depuis les origines. Aidé d'Anne-Marie, il redessina l'ensemble du domaine, repensa l'usage des parcelles cultivables, démolit les bâtiments d'élevage intensif, créa de nouvelles circulations... Malgré les quolibets de ses voisins pour qui l'agriculture sans machines et sans engrais s'apparentait à un retour à l'âge de pierre, il réussit, en quelques années, à créer un écosystème modèle qui, concernant ses ratios de rendement, n'eut bientôt que peu d'équivalents en France, à l'exception de la ferme du Bec Hellouin, longeant la Risle près de Brionne, dans l'Eure.

La Ville aux Voies était devenue un stupéfiant laboratoire où la production maraîchère était *objectivement* plusieurs fois supérieure à la moyenne nationale par unité de surface, presque sans recours aux énergies fossiles. Un exemple d'autant plus remarquable – et c'est cela qui faisait la fierté de Camille lorsqu'il recevait le résultat des analyses agronomiques effectuées sur les échantillons de sa propriété – que la terre était ici chaque année plus fertile quand, dans les champs de ses voisins, elle ne cessait de s'appauvrir, nécessitant toujours plus d'engrais et de pesticides, ou de disparaître pour s'en aller polluer, à la moindre averse, les fossés et les cours d'eau.

La Ville aux Voies était devenue bien plus qu'une simple ferme. C'était un véritable paysage nourricier. La basse-cour où batifolaient les volailles était bordée de murets, d'arbres et de fleurs. Par un chemin en tonnelle longeant un ruisseau, on accédait aux premiers maraîchages où Camille continuait de perfectionner les expérimentations d'Anne-Marie comme le jardinage sur buttes, l'agroforesterie, les cultures associées, l'usage de micro-organismes efficaces et de *terra preta*. Quiconque entrait dans ces potagers était saisi par leur beauté ahurissante. Durant les mois d'été, tout n'était que couleurs, odeurs et bourdonnements joyeux des insectes. Parmi les rangs d'arbres fruitiers, poussaient les choux et les tomates. Puis les plantes médicinales qui encadraient les buttes de cultures partagées entre fenouil, épinards, salades et asperges et d'autres allées encore bordées de concombres, de courgettes, de thym et de basilic menant à l'étang. On se perdait dans ce dédale végétal où s'épanouissaient des centaines d'essences et d'espèces dans les spirales du jardin mandala, autour des mares, sous les frondaisons de la forêt et des vergers. La forêt abritait les potagers des vents dominants et leur assurait un microclimat renforcé par la réflexion du soleil sur la surface des trous d'eau dont les ajoncs fournissaient du fourrage aux animaux et de la nourriture aux oiseaux pêcheurs, martins, aigrettes et hérons…

Sur l'un des versants, on apercevait un jardin circulaire et de petits herbages permettant de conserver des animaux, chevaux, ânes et moutons, au cœur de la ferme. Il en allait ainsi sur plusieurs hectares et, en se promenant parmi ces enclos verdoyants, même le plus ignare des visiteurs comprenait que cet écosystème prospérait de manière optimale.

Tous les éléments qui le constituaient étaient étroitement liés et chaque plante, chaque être vivant y jouait un rôle multiple et prépondérant, à commencer par les ouvriers, employés de la ferme ou stagiaires amateurs venus se former à ces techniques avant-gardistes de la permaculture.

Même Victoire, lorsque son travail au pensionnat lui en laissait le temps, ne manquait jamais de venir se joindre à la troupe pour participer à la cueillette des légumes, nettoyer les semis, arranger les paillages et, le samedi, charger la camionnette pour aider Camille à tenir les étals du marché coopératif de Morte-Montagne, où les produits de La Ville aux Voies rencontraient un très grand succès.

Ce samedi du mois de mai, rentré de Paris où son lobbying en faveur de l'agroécologie commençait à porter ses fruits, regardant Victoire s'affairer le long de la petite église et gratifier chaque client d'un sourire, d'un jeu de mots, d'une pensée pour sa famille, Camille put encore mesurer la chance qu'il avait d'être toujours aimé d'une telle personne.

Il n'était d'ailleurs pas le seul à nourrir de l'admiration pour sa beauté. Son avis était partagé par tous les gens du coin qui n'en revenaient pas qu'une telle créature ait pu éclore ici, dans un de ces patelins de trois mille âmes bordés de champs et de routes nationales où les filles pouvaient être jolies, certes, mais rarement aussi belles.

Enfants, Camille et Victoire avaient été inséparables ; adolescents, ils étaient tombés amoureux comme cela coule de source à la campagne. Un premier baiser sur le parking d'une salle de sport, derrière les mobylettes, puis les virées du samedi soir, de discothèques en fêtes dans les garages, les bagarres entre bandes de villages rivaux, les longs après-midi à ne rien faire, les retours des matchs de foot, les cigarettes dans la cour du lycée, les serments d'amour, les quelques heurts, inséparables toujours, les mains sous le tee-shirt, les beaux seins de Victoire caressés durant des heures, les lettres enflammées, le sexe enfin et son goût suave d'éternité neuve, les serments plus forts. Puis le baccalauréat de Victoire, décroché haut la main, et les études à la fac de Nantes. Leur amour avait résisté au drame et à la maladie de Camille, à l'usure des jours, au silence, aux rêves de gloire, aux sarcasmes des amis étudiants de Victoire moquant son étrange fiancé.

Jusqu'à la naissance de leur première fille, Jeanne, Camille avait toujours eu peur qu'elle le quitte, qu'elle parte tenter sa chance à Paris ou à l'étranger. Qu'aurait-il pu faire face à sa volonté ? Qu'aurait-il fait si elle n'avait pas partagé son attachement à Montfort, si elle ne l'avait pas encouragé à reprendre la ferme de son grand-oncle, si elle n'avait pas accepté de retourner vivre dans ce « trou perdu » ? Mais Victoire aimait Camille plus que tout, et malgré les épreuves elle avait toujours été heureuse auprès de lui. Sa vie serait ici, à Montfort, cela lui semblait d'une grande évidence et cette conviction, cette assurance d'être parfaitement à sa place ajoutait à sa grande beauté.

Elle incarnait sa terre, elle en était presque une allégorie et, si personne n'aurait osé formuler une telle affirmation, tous le ressentaient. C'était là l'origine de la fascination surnaturelle qu'elle exerçait sur les gens de la région et ils étaient nombreux qui, les jours de marché, ne manquaient jamais de venir la saluer. Dans tout autre coin de la France, ce comportement aurait été considéré, à juste titre, comme une sorte de curiosité malsaine, mais, dans cette partie de la Vendée, la vérité était autre. En ces terres d'abnégation et de soumission, Victoire jouissait d'une aura presque sacrée : sa beauté rendait les gens heureux. Elle était leur fierté, leur orgueil, leur instinct, la certitude incarnée qu'au sein de leur communauté la persistance d'une foi aveugle et sans condition avait pu donner naissance à un individu dont la présence s'apparentait au divin et qui les rapprochait de Dieu. Ils aimaient Victoire comme un détenu la rose trémière qu'il regarde pousser entre deux pierres du mur d'enceinte, comme leur madone, comme une apparition de pureté, un cadeau au monde dont ils étaient responsables et qui leur appartenait.

En ce jour de printemps, douze ans après la mort d'Antoine et tant d'épreuves traversées ensemble, Camille et Victoire Vollot semblaient avoir enfin trouvé leur équilibre.

II

ACCUSATION

Devant le miroir de l'ascenseur, après avoir appuyé sur le bouton du sixième étage, Raoul Sarkis prit soin d'ajuster son chapeau et de lisser sa moustache. Il se trouvait beau. Il aurait pourtant été difficile à quiconque de lui donner raison. Sarkis n'était pas beau, non, à peine était-il élégant, mais sa confiance démesurée lui conférait une aura singulière, un magnétisme irrésistible. Cette impression venait-elle de son visage dont les traits hésitaient entre des origines asiatiques et caucasiennes, de ses yeux brillants, verts aux reflets jaunes, de ses cheveux étrangement blonds, de la cicatrice qu'il arborait sur la joue gauche? Personne n'aurait pu le dire mais une chose était certaine : son être était comme imprégné d'un parfum antique, levantin. On aurait dit qu'il était vieux comme le monde, qu'il portait un écho venu des mythologies grecque ou égyptienne, qu'il possédait, comme un génie, quelque forme de pouvoir secret, qu'il était à même de faire couler l'or à flots. Il respirait la bonne fortune comme, on peut l'imaginer, Crésus à son époque – car Crésus avant d'être riche était beau : il avait le visage serein de la chance et de la confiance. Oui, en se voyant dans le miroir, Sarkis en était convaincu, il était le nouveau Crésus. Oui, voilà, il était beau comme Crésus.

Cette trouvaille le fit sourire. Il était décidément d'excellente humeur et la vue de Jean-François qui l'attendait dans son bureau ne fit qu'amplifier ce sentiment. Depuis quelques mois, il avait pris soin de préparer son retour, multipliant les voyages de Varsovie à Londres et Paris, soignant sa garde-robe chez les meilleurs tailleurs, dînant dans de grands restaurants, distillant par sa présence nouvelle dans des cercles de financiers où il était inconnu quelques indices sur de prétendues opérations pétrolières en Russie et en Chine. La recette du fantasme en société était simple, connue des lecteurs de romans du XIXᵉ siècle que lui-même n'avait jamais lus : se faire remarquer par son train de vie et laisser planer le mystère sur les origines de sa fortune. Durant les périodes de crise économique, les gens viennent d'eux-mêmes vers ce qui brille, seulement convient-il d'y mettre les formes : on n'attrape pas les mouches avec du vinaigre. À Paris, il avait donc loué un vaste appartement rue La Boétie, et des bureaux de l'autre côté de l'avenue des Champs-Élysées, au dernier étage de l'immeuble abritant la boutique du Paris Saint-Germain. Les premières pièces étaient posées sur l'échiquier, il lui fallait désormais prendre son temps : faire entrer de l'argent, beaucoup d'argent, et séduire, séduire, séduire.

En Jean-François, il avait trouvé la personne idéale pour exécuter les manœuvres de mise en place : il était bête, sans scrupules – ce qui assurait sa dévotion – et formé au b.a.-ba de la petite escroquerie. Sarkis avait besoin de ce savoir-faire et était convaincu que Jean-François le mettrait volontiers à son service en échange d'un salaire important et d'une considération humaine qu'il avait perdue depuis qu'il travaillait à la comptabilité d'une entreprise de transport du Val-de-Marne. Sarkis avait d'ailleurs pu facilement vérifier sa prédiction : un coup de fil avait suffi pour le convaincre.

«La paix soit avec toi, mon frère ! s'écria Jean-François en voyant Raoul s'avancer dans le couloir.

— Hé hé, ce cher Jean-François ! Dis donc, t'as encore grossi, toi», appuya Sarkis en l'embrassant.

C'était là un des traits de la personnalité de Raoul Sarkis. Faire ressortir un défaut de ses collaborateurs même dans les moments d'apparence amicale était, pour lui, une façon d'asseoir son ascendant psychologique.

«Tu as pu avancer sur les trucs que je t'avais demandés ?

— Oui. J'ai fait remonter un peu d'argent des Bahamas au Luxembourg. J'ai ouvert deux holdings. Avec la première, j'ai pris des participations dans Euromaze, la boîte de Franck Emer à Bordeaux, au prix que tu avais dealé. Le type était trop content de vendre. J'ai fait sauter les clauses d'assurance, il n'y a vu que du feu. On va pouvoir siphonner tranquillement. À l'ancienne.

— Parfait. Et maintenant qu'on a la main sur la compta et l'agrément de la banque, on peut commencer à acheter en direct. Il me faudrait deux personnes ici pour assurer la vente et faire la paperasse pour doubler les ordres.

— Je m'en suis occupé. On aura deux jeunes types la semaine prochaine. Pas de fixe. Tout à la commission. Ils vont vite piger comment faire.

— Des gens sûrs ?

— Oui, c'est Jin qui me les a envoyés. Je l'ai vu avant-hier, il m'a dit aussi qu'il aimerait bien dîner avec toi un de ces jours.

— Je l'appellerai. Mais pas ce soir, j'ai une hôtesse d'Air France qui m'attend. Elle repart demain. »

Jean-François se redressa, amusé :

« Ooooh ! Dans l'avion, tu l'as chopée ? Non, j'y crois pas. À côté de Cristina et des garçons ? Cousin, t'es vraiment un bon.

— On n'est pas tous doués du même talent, mon vieux. Un jour, je t'expliquerai comment faire. C'est une coquine, celle-là. Elle s'appelle Maxime. Elle était bonne dans son petit uniforme. Petit cul, beaux nichons. Classe, en plus. Un peu bourgeoise. Au fait ? »

Sarkis frottait son pouce et son index face à Jean-François.

« Oui, évidemment. Je t'ai fait rentrer un peu

de cash en crédits bidon sur le compte qu'on avait ouvert à la Palatine au nom de Demetrios. La Palatine, ça fait *businessman*. Voilà ta carte, je t'ai pris une black, un chéquier et cinq mille en cash.

— Merci mon Jeff, t'es vraiment la personne qu'il me fallait. Je file, on se voit demain. Passe le bonjour à ta femme, lui lança Sarkis en s'éloignant.

— Boss, attends !

— Quoi ?

— Tu ne m'avais pas parlé d'une assistante aussi ?

— Ah ah, tu ne perds pas le nord, toi. Oui, Julia, mon p'tit cul ukrainien. Je lui ai dit qu'elle commençait le 1er juin. On a bien besoin d'un p'tit cul, hein, mon gros Jeff ? »

Leurs rires épais s'envolèrent par les fenêtres, enjambant le souvenir de la Païva et les toits de l'hôtel de Marcel Dassault pour s'en aller tourbillonner au-dessus des Champs-Élysées.

Une fois redescendu, Sarkis prit le temps de faire doucement le tour du rond-point puis s'engagea sur l'avenue Matignon et marcha jusqu'à la rue du Faubourg-Saint-Honoré. Ses pensées dévalaient à toute allure. Tout lui semblait si facile. L'argent? Quelle blague! Il suffisait de trafiquer quelques documents pour que les banques remplissent des comptes. Le fisc l'avait oublié: plus rien ne s'opposait à ses manœuvres. Il allait monter deux ou trois coups et repartir tranquillement. Paris allait s'ouvrir comme une pêche bien mûre. Il en salivait d'avance.

À cet instant, il sentit son téléphone vibrer dans la poche de son manteau. Maxime venait de lui laisser un message – «Cher monsieur 3A, notre soirée tient toujours?» – auquel il répondit aussitôt: «Avec plaisir, chère madame 95B. 20 heures au bar du Costes?» La satisfaction que lui procura l'invention de cette brillante réplique le sortit de ses réflexions et son œil s'arrêta sur la devanture d'une horlogerie. Une montre! Bien sûr qu'il lui fallait une montre. Il avait offert la sienne à son fils pour ses dix ans et n'avait pas pris le temps d'en racheter une. Où avait-il la tête? Il s'avança dans le magasin et avisa l'un des vendeurs :

«Bonsoir, qu'avez-vous comme Rolex?»

Le jeune homme lui présenta quatre modèles de série. Sarkis les regarda rapidement avant d'ajouter, ponctué d'un clin d'œil de connivence :

«Et vous n'auriez pas quelque chose de plus... spécial?»

Le garçon, pris au jeu de la complicité, réfléchit un instant et sourit, fier de lui :

«Je crois que j'ai quelque chose pour vous! dit-il avant d'ouvrir un autre tiroir et d'en sortir une Submariner Date en or jaune.

— Ah voilà! Je vois que l'on se comprend! s'extasia Sarkis.

— Comme vous le savez, Rolex ne fait pas de séries limitées mais celle-ci a quelque chose d'un peu particulier. Elle appartenait à Rafael Nadal qui l'avait achetée après avoir battu Federer en demi-finale, l'année où il a remporté son premier Roland-Garros. Depuis, il est devenu partenaire d'une autre marque et collectionne uniquement les modèles spéciaux. C'est un excellent client, nous avons accepté de lui reprendre certains de ses achats. Elle lui a pourtant porté chance. Elle est superbe. Je ne l'ai encore jamais montrée à quiconque. Évidemment, vingt-huit mille euros... elle est un peu plus chère...

— Aucune importance. Je vous la prends. Rafa est un ami, me voir avec sa montre va beaucoup l'amuser.

— Vraiment?»

Le jeune homme était pourtant préparé. Il connaissait la règle d'or du commerce de luxe : aucune familiarité avec les clients. Seulement, Sarkis lui inspirait confiance. Il avait l'étrange impression de le connaître depuis toujours. Il venait d'entrouvrir la porte, Sarkis ne se fit pas prier pour passer la jambe.

«Oui, j'ai été associé avec son oncle Miguel Ángel, qui était joueur de football, dans plusieurs affaires à Majorque. Pour lui rendre service, je lui ai même servi d'agent lorsqu'il a quitté le Barça. À l'époque, j'étais très lié à la direction du club. J'en ai gardé d'excellents souvenirs.

— Je comprends. C'est mon club préféré. Messi, Iniesta, Xavi… C'est mon rêve d'aller voir un match au Camp Nou.

— J'y étais toutes les semaines. C'est un stade magnifique. Si un jour vous décidez d'y aller, faites-moi signe, je pourrai peut-être vous aider à acheter des places.»

Le garçon était aux anges. Il préparait la Rolex lorsqu'il vit Sarkis sortir son chéquier.

«Ah, monsieur, je suis désolé, mais pour un tel montant nous n'acceptons pas de chèque.

— Eh bien, je vais vous en faire deux. Le montant sera deux fois plus petit… voire trois, si vous préférez.

— Vraiment, je ne peux pas prendre cette responsabilité.»

Sarkis ne l'écoutait pas. Il avait déjà libellé le premier chèque.

«Écoutez, vous avez toutes mes coordonnées et vous savez où me trouver : mes bureaux sont dans l'hôtel du roi du Bahreïn, sur les Champs. Je suis un voisin. Vous me reverrez souvent. La prochaine fois, promis, je penserai à prendre ma carte avec moi.»

Il lui tendit les chèques et sortit son portefeuille, d'où il tira une liasse de billets de cinquante euros. Il en prit dix et ajouta :

«Et voilà pour vous, cela reste entre nous. Pour votre gentillesse.»

Le jeune homme resta sans voix et empocha les billets pendant que Sarkis emportait le petit sac en carton blanc. À peine arrivé dans la rue, il envoya ce message à Jean-François : «Fais opposition sur chéquier Palatine. Plainte pour vol.»

Raoul Sarkis était décidément d'excellente humeur. *Maxime! Maxime!* pensa-t-il en ajustant la montre. *H-2 ton petit cul!* Il ne lui manquait plus qu'une voiture – une Ferrari! – et sa journée serait parfaite. Pour cela, il savait exactement où aller : chez HighEnd Cars, près de la Madeleine, où il avait ouvert un compte et louait des bolides chaque fois qu'il passait à Paris. Sans formalité, il entra dans le bureau du personnel où l'un des vendeurs l'accueillit en hurlant :

«Oh là là! Mais qui est là? C'est le boss! C'est M. Raoul Sarkis, au bon lait de brebis! dit-il en prononçant avec insistance le "s" de "brebis". Hé hé! Je n'y crois pas. Salam alikoum, mon frère. Tu ne m'avais pas dit que tu rentrais.

— Salut mon Ludo. Alikoum salam, lui répondit Sarkis en lui serrant la main et en venant taper son épaule droite contre la sienne. Je suis rentré ce matin. Pour de bon.

— Alors, t'es venu chercher un petit diesel? Pour partir en vacances avec maman?

— Ah ah ah! Il me faudrait un truc plus tonique. Ce soir, c'est pilote de chasse.

— Porsche? Aston Martin? Lamborghini?

— T'as pas une Ferrari, plutôt?

— Si mais elle est noire. C'est un coupé 599 GTO. Le même que le prince Al Thani.

— OK, je te le prends. Tu veux combien pour que je le garde jusqu'à demain?

— Je viens de le sortir des cartons. Le patron n'est pas là cette semaine. File-moi mille euros en cash et c'est cool, Raoul. Ah ah ah! Excuse-moi, elle est trop facile, mais t'es le seul à qui je peux la faire celle-là.»

Quelques minutes plus tard, Raoul Sarkis arrêtait sa voiture devant l'hôtel Costes et en confiait les clefs au chasseur. Il trouva une place au bar et commanda un jus de fruits. Sa Rolex marquait 19h45, Maxime n'allait plus tarder.

Maxime fit son apparition vêtue d'un fourreau noir. Elle portait des boucles d'oreilles mais pas de collier, laissant apparaître un magnifique décolleté. Elle était légèrement maquillée et ses cheveux d'un châtain presque blond étaient seulement brushés. Sa beauté semblait beaucoup plus naturelle que celle des autres créatures qui déambulaient autour des tables. Sarkis lui-même sembla surpris de la trouver si belle. Après deux coupes de champagne, il lui proposa d'aller dîner :

« J'ai réservé une table au Shangri-La, si cela te convient. On va prendre ma voiture. »

La Ferrari eut l'effet escompté.

« Elle est magnifique cette voiture. J'adore. Tu me laisseras la conduire ? Elle est à toi ?

— Elle est à mon pote Tamim. C'est le nouveau coupé 599 GTO. On a commandé le même modèle en même temps mais évidemment, quand on est cheikh du Qatar, on est livré plus vite. Je viens de l'aider à finaliser le rachat du

PSG. On habite à côté l'un de l'autre. Il me la prête quand je veux en attendant que je reçoive la mienne. Lui en a tellement...»

L'hôtel Shangri-La, qui venait d'ouvrir avenue d'Iéna dans l'ancien hôtel particulier du prince Roland Bonaparte, était rapidement devenu une adresse à la mode. Ses salons et ses restaurants accueillaient tout ce que Paris comptait d'hommes d'affaires et de touristes aisés. Il incarnait la renaissance de l'hôtellerie parisienne qu'une nouvelle conjoncture fiscale était en train de faire basculer directement du XIXe siècle dans le XXIe siècle. Les palaces historiques de la Belle Époque, qui n'avaient plus pour habitude que de restaurer leurs intérieurs élimés à moindres frais, fermaient maintenant les uns après les autres pour être rénovés et hisser leur standing à la hauteur de l'exigence acérée des millionnaires de la nouvelle génération. Cette métamorphose avait pris du temps mais Paris, pourtant première capitale touristique de la planète, avait fini par céder. Disons que le prix de son immobilier était devenu suffisamment intéressant pour convaincre les grands fonds d'investissement de s'engager malgré leur défiance envers la France, pays qui leur imposait de supporter d'importantes charges sociales en plus de l'insolence hautaine d'employés syndiqués mégotant pour la moindre heure supplémentaire.

Il avait fallu, en conséquence, réformer le système de classification hôtelière datant de 1942 et qui, particularité française, ne notait les établissements que de une à quatre étoiles – quand, dans les autres pays, on allait jusqu'à cinq – et préservait la catégorie officieuse de «palace» attribuée de manière tacite par une sorte de légitimité historique. Face à cette contrainte de rénovation, la France ne put s'empêcher une nouvelle fois, par atavisme et orgueil, de ficeler une législation pour le moins singulière.

D'une part, M. Hervé Novelli, ancien militant d'extrême droite et fondateur du mouvement Occident devenu secrétaire d'État chargé du Commerce, de l'Artisanat, des Petites et Moyennes Entreprises, du Tourisme, des Services et de la Consommation, confia au groupe Accor, une chaîne spécialisée dans l'hôtellerie d'affaires – ce qui allait à contre-courant d'une nouvelle hôtellerie plus soucieuse des attentes de sa clientèle touristique que des manies de voyageurs de commerce cinquantenaires –, le soin d'établir les nouveaux critères décidant de l'attribution des étoiles, de une à cinq conformément à la norme internationale.

D'autre part, pour rappeler au monde entier que la France demeurait son phare culturel, il décida de créer, sous la haute autorité d'un membre de l'Académie française, une commission rassemblant des personnalités issues du monde des lettres, des arts, de la culture, des médias et des affaires et n'ayant aucun lien avec l'hôtellerie pour désigner sur des critères subjectifs et culturels les hôtels qui auraient l'insigne honneur de se voir auréolés de l'appellation «palace». De quoi rire un peu...

En vérité, l'hôtellerie parisienne était devenue le symbole d'une certaine impuissance française, un ring où les loups de la finance internationale affrontaient d'orgueilleux nabots confits dans leur suffisance qui, puisqu'ils n'avaient plus les moyens d'inventer quoi que ce soit, s'ingéniaient à dresser de dérisoires petits barrages sur leur chemin.

La réouverture attendue du Prince de Galles, un hôtel construit juste avant le krach boursier de 1929 sur l'avenue George-V, était devenue emblématique de cette époque. À l'heure où il venait d'être entièrement restauré et allait être inauguré pour la énième fois, la finance internationale était de nouveau au plus mal et venait de subir la crise des *subprimes* dont les conséquences sur l'économie européenne étaient encore difficiles à anticiper. Alors que le monde grelottait, que l'Europe et la France s'enfonçaient chaque jour dans la crise, sa silhouette hiératique de pur style Art déco qui avait déjà scellé l'insouciance des Années folles semblait prête à célébrer un nouvel office funéraire. Par miracle, la coque du bateau ne cédait pas encore, colmatée notamment par l'argent des monarchies du Golfe – qui investissaient des milliards dans l'immobilier parisien, favorisées par un régime fiscal les exemptant d'impôt sur la plus-value – ou les dollars venus de pays construits sur la dérégulation financière, à l'image du Shangri-La, propriété d'un groupe hongkongais qui comptait plus d'une centaine d'hôtels à travers le monde.

Son restaurant, L'Abeille, venait d'ouvrir sous la direction de Marie-Cécile Tong Hoc, une jeune cheffe remarquée pour avoir gagné une célèbre émission télévisée. Sa cuisine était classique mais tout, de la qualité des produits jusqu'à la cuisson, y était parfaitement maîtrisé. Maxime dégustait ses plats avec un bonheur communicatif et s'extasiait à chaque bouchée :

« Quel délice ! Ces langoustines, avec la bergamote et le matcha, c'est brillant. Tu ne manges pas ? Je peux goûter tes ravioles à la truffe ? Hmmmm... »

Sarkis, au contraire, semblait totalement indifférent à ce qui se passait dans son assiette. Il espérait la fin du repas et l'arrivée du dessert, qu'il avait prévu de faire porter dans une suite du dernier étage pour profiter des courbes de Maxime, dont il n'attendait plus que de déchirer la robe.

Pour passer le temps, il commença à observer la salle. Derrière eux, une table de six personnes dînait bruyamment. L'un des convives, un grand homme blond en costume trois pièces, lançait de temps à autre des rires tonitruants qui résonnaient dans tout le restaurant. Maxime, qui le voyait regarder dans cette direction, lui précisa :

« Le type en complet noir qui rit très fort, je le connais. C'est Étienne Nicquesson, un ami de mon frère. Il a une agence immobilière spécialisée dans la gastronomie, je crois. Je te le présenterai tout à l'heure si tu veux. »

Ce fut Nicquesson qui, reconnaissant Maxime, s'avança vers leur table quelques instants plus tard.

« J'adore ton frère mais il faut avouer que tu es quand même beaucoup plus agréable à regarder ! Tu ne veux pas venir à ma table, plutôt ? Je suis entouré de pédés ennuyeux... Désolé de vous interrompre les tourtereaux mais je ne pouvais pas passer près de si belles jambes sans leur rendre mes hommages. Comment vas-tu ?

— Bonsoir Étienne. Je vais très bien, merci. Tu exagères, à t'entendre rire, tu n'as pas l'air de t'ennuyer tant que cela. D'ici, on a même plutôt l'impression que tu apprécies. Et il y a de quoi : c'est absolument dé-li-cieux ! Pardon, je ne vous ai pas présentés : Raoul Sarkis, un ami, Étienne Nicquesson.

— Bonsoir monsieur. »

Nicquesson lui serra la main en le regardant à peine avant de reprendre sa conversation avec Maxime :

« Oui ! À qui le dis-tu, dans l'assiette c'est mortel ! Je fête la signature d'un gros contrat avec des clients. Le gros kiff !

— Bonne idée de le faire ici. L'endroit est top et elle est très très douée cette Marie-Cécile Tong Hoc. Ce n'est pas aussi révolutionnaire que les plats de Jérôme Grémille ou de Théo Cartier mais c'est magnifique.

— Dommage surtout qu'elle ne soit pas aussi jolie que ses langoustines. Le stress de l'ouverture l'a fait grossir comme une outre ! Il faudrait que tu prennes sa place sur les photos. Ah ah ah! Allez, je vous laisse. Passe le bonjour à ton frère. Salut! Et, surtout, bonne bourre!»

Maxime, mi-amusée mi-gênée, le congédia d'une tape amicale sur le coude. Sarkis souriait, estomaqué par la goujaterie du bonhomme qui l'avait laissé sans voix.

«Un phénomène, ce Nicquesson! En tout cas, je suis content que le dîner t'ait plu. Si tu veux, j'ai demandé à ce qu'on nous porte le dessert et le champagne dans ma suite. Nous serons plus tranquilles.

— Ce dîner était divin. Mais je ne sais pas si nous avons besoin de dessert. J'ai déjà trop mangé!

— Je suis particulièrement gourmand. C'est mon seul défaut.

— Moi aussi mais ce n'est pas le seul.»

En répliquant, Maxime avait posé son menton sur sa main droite et se mordillait la dernière phalange de l'auriculaire. Sarkis n'y tenait plus. À peine eut-il poussé la porte de la chambre qu'il se jeta sur elle. La première fois, il ne se donna même pas la peine de lui ôter sa robe. Il la retroussa seulement et la prit par-derrière contre une commode Art déco. Quelques heures plus tard, rendus insatiables par la cocaïne de Maxime, ils firent monter deux autres bouteilles de champagne. Sarkis se laissa ensuite attacher. Maxime le chevaucha longuement, lui offrant le ballet de ses seins magnifiques. Lorsqu'elle le sentit venir, elle ouvrit un flacon de poppers qu'elle lui fit inhaler. Sarkis explosa. Lui qui n'avait que peu goûté aux plaisirs du sexe sinon avec sa femme et quelques prostituées aux rituels mécaniques découvrait l'extase.

Au matin, il se leva et entrouvrit les rideaux. Paris s'éveillait dans une brume d'où émergeait la tour Eiffel. Il regarda longuement les fenêtres de la ville s'allumer une à une. Rien ne lui semblait plus impossible. Maxime s'était levée à son tour et lui caressait le sexe. Elle s'agenouilla pour le sucer. Sarkis lui prit la tête et accompagna le va-et-vient, le dos appuyé contre la fenêtre. L'orgasme lui arracha un râle. Rien ne lui semblait plus impossible. Non, rien ne l'arrêterait.

Maxime lui avait donné rendez-vous devant le 10 Corso Como, un célèbre concept store fondé par l'éditrice italienne Carla Sozzani où le monde entier se pressait pour s'arracher les collections en séries limitées de créateurs de mode ou de designers, des raretés importées des quatre coins du monde, des pièces de mobilier vintage, ou tout simplement passer le temps. Elle l'attendait devant l'entrée, assise à l'une des tables en fer de la terrasse en compagnie d'un jeune homme en costume sombre.

« Ciao bello ! Je te présente mon petit frère Alexandre. Il est à Milan pour le Salon du meuble qui commence demain. Il avait un peu de temps ce midi, je lui ai dit de venir déjeuner avec nous. Ça ne t'embête pas ?

— Pas du tout. Au contraire. Maxime, Alexandre : on peut dire que vos parents avaient de grands projets pour vous ! »

Sur le ton de l'humour, Alexandre répliqua en souriant :

«C'est sûr que pour les tiens, c'était plus flou!»

Cette réponse fit beaucoup rire Maxime et Sarkis fut bien obligé de faire de même, comme si de rien n'était, mais, intérieurement, il bouillait. Il n'avait aucun humour et la moindre remarque sur sa personne le faisait enrager :

«Ah ah ah! Tu as vu juste, Alexandre, ils ne croyaient pas beaucoup en moi. Et ils avaient raison! Tu es à Milan pour affaires, alors? Je ne connais pas le monde qui gravite au Salon du meuble mais j'imagine que tu dois être designer?

— Pas vraiment. Je suis galeriste et éditeur. On travaille avec des designers et des artistes sur des séries limitées. Je suis basé à Londres pour des raisons que tu comprends, j'imagine, mais pour les marchés asiatique et américain c'est important de garder une présence à Paris et à Milan. On vient tous les ans pour voir nos clients, les journalistes, les designers… Tout le monde est là pendant quelques jours, c'est pratique.

— Quel genre de meubles?

— Nous, on ne fait que du contemporain. C'est une niche. Ce qui marche en général, c'est plutôt le Memphis et tout le mobilier 50's genre Prouvé et Perriand. Les gens s'arrachent le moindre truc en ferraille de cette époque ou, à défaut, des rééditions. Ils veulent tous les mêmes choses!»

Maxime s'était levée :

«Allez, venez, je vous emmène déjeuner chez Eataly, c'est à côté. Vous aurez le temps de parler de tout cela. Cet endroit va vous plaire, c'est certain.

« — Tu ne veux pas faire un tour dans la boutique avant ? lui demanda Raoul.

— Tu crois vraiment que je t'ai attendu ? J'ai fait mettre de côté une paire de chaussures folle et une veste à tomber. On repassera tout à l'heure. »

Après un déjeuner rapide sur le stand d'un épicier des Pouilles – *burrata, orecchiette* aux brocolis et *negroamaro* –, Alexandre prit congé de Maxime et de Sarkis en les invitant à la fête qu'il donnait le soir dans un bar du centre-ville.

« Il est sympa mon frère, non ? Je ne le vois jamais. De temps en temps quand je vole à Londres, mais comme il est toujours par monts et par vaux… Là, c'était vraiment le hasard.

— Ses affaires ont l'air de bien marcher.

— Tu plaisantes : il se fait un max de thune ! Pourtant, ses meubles, on ne peut pas dire que ce soit d'une grande délicatesse. Il s'en fout, il les vend des fortunes à tous les nouveaux riches de la planète. »

Pendant qu'il parlait à Maxime, Sarkis ne quittait pas des yeux le flot continuel de centaines de personnes défilant parmi les cahutes remplies de produits régionaux d'Eataly. Cette grande halle de trois étages semblait ne jamais désemplir.

« C'est hallucinant cet endroit. Qui a inventé ça ?

— C'est canon. J'étais sûre que ça te plairait. Le premier était à Turin, je crois, mais depuis ils en ont ouvert un peu partout. New York, Dubaï, Tokyo… Je ne comprends pas qu'il n'y ait pas la même chose à Paris avec tous les produits français alors que notre gastronomie mérite d'être classée au patrimoine de l'Unesco. Voilà ce que tu devrais faire.

— Aaaaaah! Mais quand est-ce que tu vas me laisser tranquille avec ta bouffe? Tu ne penses qu'à cela, c'est une obsession, ma parole», lui répondit Sarkis en riant.

L'après-midi, ils déambulèrent de galerie en galerie, visitant les expositions organisées en marge du Salon du meuble. Maxime, qui connaissait aussi bien l'histoire de l'art et du design que celle de la gastronomie, offrit à Sarkis un cours magistral sur le mouvement Memphis et les grands maîtres italiens, les marques historiques et les nouveaux éditeurs.

Il faisait beau à Milan ce jour-là et la capitale lombarde avait des airs de fête qui réjouissaient Maxime. À chaque occasion, elle s'amusait de l'ignorance de Sarkis, moquait son humour provincial. Elle avait le don de le mettre hors de lui mais, étrangement, il semblait accepter d'elle ce qu'il n'aurait toléré de personne d'autre.

Maxime n'entrait pas dans les cases de ses livres de psychologie. Alors que ses autres conquêtes avaient tendance à étaler leur vie privée dès le premier verre, Maxime restait toujours discrète sur ses origines. À peine savait-il qu'elle avait quitté sa famille très jeune en même temps que son petit ami de l'époque – qui sans doute devait ressembler à son frère Alexandre – pour ne pas avoir à porter l'héritage de sa famille. Elle avait brûlé tous ses vaisseaux sans savoir où cela la mènerait. Elle avait hypothéqué sa vie bourgeoise contre des poignées de sable.

Si son intimité avec Maxime commençait à lui peser, elle lui était néanmoins indispensable car il percevait à travers elle les fissures d'un monde en train de se déliter. Il comprenait mieux les abandons de sa génération d'héritiers désabusés et les choses pour lesquelles ils ne se battraient pas, toutes ces miettes qu'ils lui laisseraient et qu'il ne manquerait pas de dévorer avec voracité.

De retour de son escapade milanaise, alors qu'il traversait la place de la Bourse, Raoul Sarkis fut arrêté par le klaxon insistant d'un scooter. En se retournant, il reconnut Jonathan Sacher, un garçon avec qui il avait été en classe dans un lycée de Boulogne.

«Ça alors Raoul, comment vas-tu? Quelle surprise de te voir ici! Ça fait un sacré bail. Qu'est-ce que tu deviens?

— Jonathan! Ce n'est pas vrai! Je vais bien, très bien, les affaires, l'immobilier, rien de spécial. J'ai vécu en Pologne pendant seize ans mais je suis rentré à Paris définitivement depuis un an et demi. J'habite rue La Boétie avec ma femme, Cristina, et mes enfants. Tranquille, quoi. Et toi?

— Moi, ça va. J'ai deux restaurants rue de Richelieu, à côté. Des bistrots. Passe un de ces jours, ça me ferait plaisir. Mais non, attends, j'y pense, tu fais quoi ce soir? J'organise un dîner à la maison avec des copains. C'est l'anniversaire de ma femme. Un truc simple. Viens! File-moi ton numéro, 06… OK, je t'envoie l'adresse. Allez, je file. À ce soir.»

En arrivant seul rue des Saints-Pères vers 21 heures, Sarkis hésita à faire demi-tour et resta de longues minutes sur le trottoir avant de pousser la porte de l'immeuble. Il n'avait pas forcément gardé de bons souvenirs de Jonathan Sacher et, surtout, il savait que, par son entremise, il s'apprêtait à se confronter à un monde dont il ignorait tout. En entrant dans la jolie cour pavée, il prit conscience qu'il n'avait jusqu'alors fréquenté que des sphères parallèles, sans intérêt, que sa vie – qu'il adorait! – consistait à escroquer de pauvres gens et à sortir avec cet argent en voiture de location dans des endroits prisés par les footballeurs mais que cela n'était qu'une sorte de deuxième division, une antichambre, que le vrai monde de Paris se refusait à lui et qu'il n'avait pas encore pénétré cet entre-soi d'ascendance catholique et juive que lui faisaient entrevoir les manières de Maxime, cette bourgeoisie qui regardait en riant les «Arabes de banlieue» rouler des mécaniques sur les Champs-Élysées et vendait ses immeubles aux sultans du Golfe en se bouchant le nez. Il commençait à comprendre que c'était pourtant le monde qu'il se devait de conquérir, le seul défi à la hauteur de son génie.

Sarkis était le dernier des convives à arriver. C'est Jonathan qui lui ouvrit. Il lui tendit fièrement sa bouteille de Dom Pérignon 1998 – achetée trois cent vingt euros au Drugstore Publicis

– mais celui-ci la regarda à peine et la posa derrière lui, sur un vieux secrétaire encombré :

«Salut poteau, c'est sympa d'être venu. Pose ton manteau et arrive, que je te présente.»

En pénétrant dans le salon, Sarkis reconnut tout de suite Nicquesson qui, lui, semblait ne pas l'avoir remarqué et discutait avec un type aux avant-bras tatoués dont il saurait bientôt qu'il s'agissait de Victor Castarède, un chef comptant parmi les icônes du renouveau gastronomique parisien porté par *Le Fooding*.

En quelques années, ce guide avait souligné et soutenu l'avènement d'une nouvelle génération de chefs formés dans les cuisines des grands restaurants mais désireux d'en finir avec la restauration des années 1990, celle du *lounge* et des raviolis à la truffe, et de proposer une cuisine moins ampoulée, ouverte aux traditions cosmopolites et populaires du monde entier. Emblématique de la première décennie du siècle, ce mouvement avait d'abord enflammé la jeunesse de Paris puis les couches plus bourgeoises de la société.

Alors que le *Guide Michelin* avait eu tendance, notamment en province, à défendre des principes plus conservateurs – produits de la tradition française «obligatoires» comme le foie gras, carte fixe au mépris des saisons, nappage des tables… –, *Le Fooding* avait choisi de promouvoir un esprit novateur tous azimuts et recensé près de mille adresses – tables de chefs reconnus, étoiles montantes, bistrots néo-classiques, cartes monomaniaques de plats populaires comme les burgers ou les pizzas –, ce qui lui avait rapidement permis d'occuper l'essentiel de ce que l'on appelait désormais la «scène gastronomique».

Les restaurateurs tels que Jonathan Sacher avaient compris leur intérêt et déclinaient quelques principes fondamentaux de l'esprit «*Fooding*» – produits bio ou de producteurs vertueux, vins nature, plats sans sauce – dans des restaurants aux atmosphères familières et aux menus en apparence abordables. Au début des années 2010, à Paris, comme souvent, la «*food*» tournait à l'obsession et représentait, dans un pays en crise à tous les étages, une manne financière qui attirait encore de nombreux investisseurs. Lorsqu'il fut présenté à Éric Tudor, l'un des bras droits de Stéphane Combas, le critique gastronomique fondateur et propriétaire de ce qui était devenu la marque *Fooding*, Raoul Sarkis n'avait aucune conscience de la puissance des bouleversements qu'induisaient ces nouveaux usages de la table à l'échelle de la société. Les conversations de la vingtaine de convives, uniquement centrées sur le sujet, lui en apportèrent la confirmation. Le problème est qu'il n'avait rien à dire, et lui qui était d'ordinaire si bavard tentait de participer tant bien que mal en se souvenant de bribes des monologues interminables de Maxime qui, elle aussi, pouvait lui parler de restaurants durant des heures.

L'une des invités, la quarantaine, jolie mais le teint marqué par la cigarette et les soirées interminables, s'apercevant que Sarkis commençait à s'ennuyer ferme, l'interpella :

«Et notre bel inconnu, il fait quoi? J'ai l'impression que la bouffe, ce n'est pas son truc.

— Un ascète? reprit un autre.

— Il est mal tombé! lança son voisin en riant.

— Une chose est sûre : ma vie n'a rien d'appétissant. Je travaille dans la finance. Je dirige plusieurs fonds d'investissements souverains spécialisés dans l'immobilier, lui répondit Sarkis.

— N'aie pas peur, reprit la blonde. On ne te veut aucun mal. On est même plutôt contents que les financiers viennent claquer leur thune dans nos restaus! D'ailleurs, si tu en as à investir, ça marche en ce moment!

— À la façon dont vous en parlez tous, j'ai l'impression.

— C'est même le seul truc qui marche. Les gens n'ont plus d'argent mais vont quand même au restaurant. À Paris, il s'en ouvre dix par jour. Autant qui ferment mais ce n'est pas grave, les gros investisseurs sont derrière et assurent. Tant qu'il y aura des gens pour payer cinquante balles tous les soirs... Encore faut-il que la machine continue à tourner, et pour cela il faut tout le génie des équipes du *Fooding*.

— Pourquoi?

— Pour réussir à orchestrer cette folie : que des centaines de jeunes gens fauchés, des étudiants, des journalistes, des gens de la com' continuent d'aller bouffer dans les restaurants «certifiés» par *Le Fooding* en pensant que les personnes qui les tiennent sont mieux que les précédentes, qu'elles travaillent pour le bonheur de leur clientèle, pour son bien-être et celui de l'humanité tout entière, qu'elles sont engagées dans un combat en faveur de l'environnement, des paysans, tout ça.

— Mais qui peut croire des choses pareilles ?

— La bonne blague ! Tout le monde ! Les types sont juste trop cons ! Ils ont du mal à s'habiller chez Uniqlo, habitent des petits appartements de merde qu'ils sont obligés de louer sur Airbnb pour boucler les fins de mois mais sont capables de s'extasier en claquant quatre-vingts euros pour manger un *ceviche* dans un rade du XIe où ils ont l'impression d'être à l'égal des richards qui viennent de Saint-Germain pour s'encanailler. Le *fooding* est un snobisme de «pauvres-mais-pas-tout-à-fait». Ils ont de quoi manger, alors la bouffe a remplacé la poésie, la culture, la télévision. C'est même en train de devenir un nouveau showbiz et les fils de famille comme Stéph et Jonathan l'ont très bien compris. Évidemment, ils ne te diront pas les choses comme ça mais c'est la vérité. Hein, ce n'est pas vrai, mon Éric ?»

Tudor sourit dans sa direction et fit semblant de n'avoir rien entendu. Il ne répliqua pas. Sarkis riait à l'outrance sans queue ni tête des propos de la jeune femme, d'évidence un peu ivre, mais commençait à percevoir derrière ce théâtre parisien de la gastronomie quelques rouages intéressants dans lesquels il lui serait peut-être ingénieux de se glisser.

À la fin du repas, alors que l'on servait les

alcools, il sentit la main de Nicquesson lui taper sur l'épaule avant que celui-ci s'asseye à ses côtés :

«Alors mon cochon, elle était booooonne la Maxime? Et ouais mon marin, ça valait le coup de lâcher mille boules au Shangri-La, hein? Aaaah. Tu croyais que je ne t'avais pas reconnu? Je sais ce que c'est. J'ai tellement baisé sa cousine. Tu n'imagines pas. Oh là là! Une coquine, mon pote. Bon, et nous, faut qu'on se voie. J'ai l'impression qu'on pourrait faire de grandes choses tous les deux. Commencer par baiser les deux cousines ensemble! Ah ah ah! J'adoooore. Tiens, ma carte. Appelle-moi un de ces quatre.»

Raoul n'eut pas le temps de répondre quoi que ce soit. Nicquesson s'était envoyé cul sec le verre de mirabelle qui traînait devant lui et s'était levé comme un ressort avant de lui prendre les deux joues et de l'embrasser bruyamment :

«Toi, je t'aime bien!» et s'adressant à la cantonade : «Allez les ieuv, sortez vos femmes. Bougez-vous le cul! On est jeudi, on va au Montana, quoi!»

Raoul Sarkis accompagna la bande qui, en arrivant rue Saint-Benoît, s'éparpilla sur la terrasse du Flore et dans les deux étages du Montana. Bien qu'il essayât de se donner bonne contenance, Sarkis n'avait aucun repère amical dans ce microcosme festif et, rapidement esseulé, ne resta qu'une petite heure avant de s'engouffrer dans un taxi pour retrouver son appartement de la rue La Boétie. Décidément, Paris commençait à lui plaire.

Encouragé par ce qu'il avait vu à Milan, les conseils de Maxime et de Nicquesson, l'enthousiasme et le cynisme qui électrisaient le monde de la restauration parisienne, Raoul Sarkis se décida finalement à investir dans la gastronomie. Pour première adresse, il acheta une antique boucherie des Halles qu'il transforma en un restaurant à la mode baptisé Le Nain jaune. Sur ses indications, Jean-François s'était occupé de trafiquer les documents en maquillant les apports et en survalorisant les budgets prévisionnels. Comme il l'avait espéré, l'attraction financière du secteur lui permit d'emprunter aisément près de un million d'euros auprès d'un directeur d'agence de Clichy avec qui il traitait régulièrement pour ses autres affaires.

Nicquesson, qu'il fréquentait assidûment, était devenu son éminence. Sur ses recommandations, il avait engagé une célèbre designer flamande, Greta Eikjman, pour imaginer le nouveau décor du restaurant et convaincu Lorenzo Cattoretti, chef reconnu d'un restaurant étoilé de Milan, de quitter son poste pour venir diriger les cuisines. Les travaux avaient commencé aussitôt le bail signé. Pour préparer le succès critique du lieu, il fit en sorte d'acheter la sympathie de plusieurs personnalités importantes du monde de la gastronomie et avait réuni autour de lui une poignée de conseillers et de prescripteurs, toujours en quête de nouveaux projets dans l'espoir d'en retirer un peu d'argent et de notoriété.

Sarkis était content de lui. Deux ans après son retour en France, il avait gagné une certaine assurance mondaine et son nom commençait à circuler dans Paris. Les travaux étaient presque finis. Le Nain jaune ouvrirait en début d'année, comme prévu. Intérieurement, il divaguait de plus en plus et passait son temps à se féliciter de son talent :

Et cela n'est qu'une première marche ! Greta Eikjman a fait des merveilles. Ce gros cul hollandais, lesbienne sans doute, toute la presse pour elle, quatre millions de travaux, tout le mobilier dessiné sur mesure, des tables en chêne massif bardées de laiton, du marbre : le Paris des quadras aux dents blanches va en prendre plein la vue et sortir le carnet de chèques. Quant aux autres, les journaleux et les ayatollahs de la gastronomie, Fooding *et consorts, ils seront bien forcés de reconnaître le talent de Lorenzo Cattoretti, un vrai moine bouddhiste formé par Alain Passard et Massimo Bottura : l'anti-bling-bling par excellence. Le crâne rasé, les sandales, une femme japonaise, deux enfants, tous ses déplacements à vélo, obsédé par les salades et les petits pois!*

Ce portrait le fit sourire. Décidément, Sarkis n'aurait pas pu trouver meilleure caution et les premiers plats de cette séance de dégustation et de mise au point de la carte du Nain jaune le confortèrent dans sa satisfaction : «Jus de betterave, poire, soufflé de sésame», «Selle de brebis et purée d'ail», «Pleurotes et pain brûlé au lard de Colonnata»…

Pas de quoi fouetter un chat mais c'est pile dans l'air du temps parisien. Il faut jouer le jeu. Ils veulent de la nature, du paysan? On va leur en donner. En ajoutant quelques vitrines avec de la viande à mûrir et du vin sans soufre, ils vont tous tomber dans le panneau.

Il regardait les convives disposés autour de lui, attendant de pouvoir lui adresser la parole : Jean-François, Cristina, tout heureuse d'être pour une fois de la partie, Étienne Nicquesson et Paul Guitton, le concepteur-rédacteur de son agence, Bertrand Barguin et Philippe Lamoureux, deux anciens chefs reconvertis dans le conseil chargés du *sourcing* des produits et quelques autres personnes qu'il avait sans doute déjà croisées mais dont il ne connaissait même pas les prénoms.

Tous s'extasiaient devant la cuisine de Cattoretti et partageaient leurs avis : «Cuisson parfaite!», «Lorenzo, tu as trouvé le bon équilibre entre l'amertume et l'acidité. C'est très bien. J'ajouterais peut-être une note iodée.», «Avec le ris, il faut servir un truc plus couillu, un gigondas, par exemple.»

Sarkis les trouvait pathétiques. Y croyaient-ils vraiment à leurs foutaises? Pensaient-ils que leurs remarques avaient une quelconque importance? Au moins, Nicquesson ne faisait pas semblant, montant à intervalles réguliers se poudrer les narines avant de redescendre pour balancer des blagues salaces en hurlant de rire. C'était celui qui lui ressemblait le plus. Il était là pour le pognon, comme tous les autres, mais lui n'en faisait pas mystère. Il l'enculerait comme les autres mais avec lui, au moins, il pourrait se marrer un peu.

Une nouvelle série de plats se présenta: «Maigre de Saint-Gilles-Croix-de-Vie, coques et navets hachés», «Pigeonneau impérial du Poitou, carottes et cèpes», «Huîtres Maillard, éclats de noisettes, échalote pochée au vin».

Quel ennui... heureusement, le pigeonneau est bon mais les légumes, quelle chienlit...

«Dis-moi mon Bertrand, d'où viennent les légumes?

— Là, je pense qu'ils arrivent de La Ville aux Voies, de chez Vollot. Tu sais, c'est mon pote Ferrandier, de l'agroforesterie, qui m'en avait parlé.

— Oui, je me souviens très bien. C'est magnifique. Délicieux. De l'émotion pure.»

Voilà. Il avait trouvé: l'émotion. Il allait leur donner de l'émotion. Il les baiserait à l'émotion. Et pas un ne lèverait le petit doigt, trop occupés à maquiller leur besoin d'argent sous des baratins écologiques.

Barguin ne pouvait plus s'arrêter. Il ajouta :

«Et le tout, impeccable. Pas une goutte de pétrole, rien. La nature à poil.

— Merci Bertrand, vraiment. Merci à tous pour votre travail, à Lorenzo, évidemment. D'être là, avec vous, aujourd'hui, et de pouvoir goûter les plats du Nain jaune, après tous ces mois de travail… quelle émotion. Je suis certain que c'est le début d'une grande aventure. Je dois vous laisser, j'ai un rendez-vous à mon bureau des Champs-Élysées. Je vous laisse goûter les desserts tranquillement. Merci encore et à très vite.»

Sur un signe de tête, Jean-François lui emboîta le pas et ils s'engouffrèrent tous les deux dans la Mercedes noire, aux vitres opaques, qui les attendait devant le restaurant. Sarkis avait sorti son téléphone et envoyait un message à Maxime : «Envie de jouir sur tes seins. Costes. 17 heures.» Refermant la portière, Jean-François était hilare :

«Putain, tu m'as trop fait marrer avec ton émotion !

— Je crois qu'on va passer rapidement à la suite. Je vais aller voir ce que Jin peut me proposer dans le XXe. Je te dirai bientôt. Et sinon ?

— Justement. J'ai eu l'entreprise de travaux généraux qui commence à faire la gueule. On en est à quatre-vingt mille euros.

— Le Portos ? Laisse pisser, il ne fera rien. En plus, je vais l'embringuer dans les autres trucs. Il va tellement se voir millionnaire qu'il va fermer sa gueule. Éventuellement, s'il devient trop pénible, file-lui une enveloppe de cinq mille en cash, de quoi payer ses clandestins au black. Pour le reste, je vais le gérer. L'important, c'était qu'il finisse. »

Victoire Vollot ne put s'empêcher de faire la moue en regardant le paquet de tracts que lui avait tendu Camille et qu'elle devait passer déposer à la boulangerie. Sur un vilain papier de couleur verte, dans une police de caractères datant des prémices de l'informatique domestique et entourant un panier de légumes, on pouvait lire : « La Louve, marché paysan coopératif. Place de la Parie. Montfort-sur-Sèvre. Tous les jeudis soir. » Voyant la tête dépitée de Victoire, Camille partit d'un grand éclat de rire :

« Tu as raison, il faut vraiment que l'on fasse des efforts de communication. Mais les gars se moquent de la présentation, du marketing. Ils ont presque de l'orgueil à se montrer plus ploucs qu'ils ne le sont.

— Ils ont tort. La grande force de votre travail est d'avoir réussi à faire comprendre que ce qui est bon doit aussi être beau. Vos potagers, vos enclos, vos fermes sont redevenus magnifiques. Il faut garder cette exigence jusque dans les moindres détails. Ces bouts de papier immondes ne vous ressemblent pas. On dirait un truc d'agriculteurs opportunistes qui se maquillent pour profiter de la nouvelle vague paysanne et vendre leurs légumes *made in* Monsanto.

— Tu exagères.

— À peine. Et cela ne change rien à ce que je te disais : il faut tout mettre en œuvre pour intéresser les gens à votre cause parce qu'elle est juste et urgente. D'autant que c'est ton grand retour à Montfort. Tu vas pouvoir montrer la qualité de ton travail à tous les gens qui t'ont critiqué.

— Je fais au mieux, ma chérie, mais chaque chose en son temps. Il nous faut de l'argent. Un marché supplémentaire après ceux de Morte-Montagne et de Nueil, c'est déjà bien. Il va nous permettre d'en gagner un peu plus, ensuite... Excuse-moi. »

Il venait de jeter un œil à son téléphone qui avait déjà sonné plusieurs fois. C'était Sourisseau, un ami du village voisin qui l'aidait à la mise en place du marché. Au cours de la conversation, Victoire vit le visage de Camille changer de couleur. Après avoir raccroché, il éclata :

« Enfoiré ! C'est encore un coup de mon frère ! Il va me le payer cette ordure !

— Calme-toi, enfin. Qu'est-ce qui se passe ?

— Ces salauds sont venus à plusieurs tracteurs et ils ont arrosé de lisier la place et toutes les structures qu'on avait installées. Le maire les a laissés faire. Sourisseau vient de me prévenir :

nos toiles sont dégueulasses et la Parie est impraticable. On est obligés d'annuler le marché.

— Je comprends que tu sois furieux mais ne mélange pas tout. Tu sais bien que Romain n'a rien à voir dans tout cela. C'est une simple histoire de rancune entre paysans. Ils sont acculés et ne supportent pas de vous voir réussir en dehors du système en place.

— Le système en place, c'est Romain qui le contrôle. Ils sont tous à sa botte.»

En arrivant sur la place de la Parie pour démonter les structures du marché, Camille était dépité, autant par le manque à gagner que représentait l'annulation du marché que par le constat de cette bêtise crasse qui parvenait encore à tuer dans l'œuf toute initiative rompant avec le conservatisme dominant des agriculteurs et des distributeurs que son frère incarnait. Il désespérait de pouvoir faire un jour bouger les choses.

Le sabotage de son marché révélait une fois de plus que les campagnes françaises marchaient sur la tête. Qui voulait s'en convaincre n'avait qu'à déambuler dans les rayons d'un supermarché de province. Même lorsqu'ils étaient construits au milieu des champs, leurs étals contenaient toujours les mêmes légumes luisants de diverses couleurs et origines, les mêmes barquettes de viandes sous plastique, les mêmes fromages pétrifiés et produits transformés de toutes sortes, les mêmes perspectives de conserves et de «trucs» à boire, mais rien, jamais, qui semblât franchement bon et comestible. Le système était arrivé à bout de souffle mais personne ne voulait en assumer la responsabilité et, surtout, personne ne semblait vouloir essayer de le réformer. On préférait l'intimidation à l'évolution.

Celle prônée par la jeune génération n'avait pourtant rien d'agressif. Il ne s'agissait pas de préserver l'environnement en créant des réserves protégées ou d'arrêter de produire. Au contraire, dans le sillage des précurseurs de la trempe d'Anne-Marie Perrault, nombre de jeunes paysans comme Camille militaient pour l'agroécologie, une méthode productive qui, à l'instar de la permaculture qu'elle englobait à une échelle plus vaste, était fondée sur la notion d'écosystème, s'opposait au labour et, entre autres, prônait la réimplantation des arbres au cœur des exploitations, la polyculture et les semis sous couvert végétal. En somme, l'avènement d'une paysannerie inspirée de celle qui existait avant l'hégémonie pétrolière mais moderne, scientifique et technologique et, surtout, indépendante des laboratoires et plus soucieuse de la fertilité pérenne de ses sols que de ses seuls rendements.

Ces idées étaient de plus en plus partagées par une nouvelle vague d'agriculteurs, volontaires et militants, venus à la terre avec l'espoir de ne pas reproduire les erreurs des générations précédentes, celles de l'après-guerre, de l'agriculture intensive, de la chimie et de la PAC, qui avaient conduit au désastre actuel, à savoir un cercle vicieux sanitaire, social et écologique dans lequel, chaque jour, la France s'enfermait un peu plus, changeant en un désert infertile son territoire à la richesse agricole inégalée en Europe.

Cette nécessité urgente de réformes, bien qu'évidente, n'allait pourtant pas de soi, et le monde agricole, de tradition conservatrice, cherchait davantage les moyens de prolonger ses habitudes que d'entreprendre des changements qui, dans un premier temps, risquaient, en l'ébranlant, de provoquer, notamment dans les régions de l'Ouest, d'importants dégâts chez les agriculteurs et les métiers de l'industrie agroalimentaire. Alors, au gré des crises successives, pour le prix du lait, de la viande porcine, du cours de la tomate, on préférait jouer le bras de fer avec l'État, épandre du lisier et brûler des pneus en réclamant des subventions. La réalité était que cette énorme machine, en France, en Europe et partout dans le monde, tournait à l'envers. Chaque mois, ou presque, apportait sa nouvelle crise, et les journaux de révéler les nœuds et les gabegies qui entravaient chaque secteur agricole l'un après l'autre. Le grand public n'en croyait pas ses yeux, ne comprenant rien aux subtilités de ces situations inextricables.

Dans les Pays de la Loire, par exemple, on continuait à produire des tonnes et des tonnes de lait de vache, un aliment aux qualités nutritives nulles, sinon néfastes, que l'apparition de l'huile de palme, aberration écologique et sanitaire concurrençant l'usage du beurre, avait de surcroît rendu trop cher. Mais la filière, qui pourtant générait un désastre environnemental, était soutenue artificiellement par des quotas de production. Il ne faisait aucun doute que ces quotas disparaîtraient bientôt et entraîneraient son effondrement mais, plutôt que d'anticiper, tous les acteurs du secteur, campés dans leur rôle, se rejetaient la responsabilité. Les grands industriels invoquaient la concurrence mondiale tout en profitant de leur position hégémonique pour faire baisser les cours et accroître leurs marges. Les agriculteurs, asphyxiés par des emprunts calculés sur un prix à la tonne qui ne cessait de chuter, s'en prenaient au gouvernement qui finissait par céder pour préserver les emplois. De son côté, la grande distribution continuait ses promotions, vendant des produits de plus en plus mauvais à des prix toujours plus bas sous prétexte de ménager le pouvoir d'achat de sa clientèle, et perpétuait le cercle vicieux.

C'était aussi le cas en Bretagne, où l'une des principales préoccupations des éleveurs était de souscrire des crédits pour équiper leurs élevages des plus récents systèmes de chauffage fabriqués dans les pays nordiques et réussir à faire «pousser» des poulets en moins de vingt et un jours – moyenne actuelle – pour les vendre à des prix dérisoires aux pays du Golfe. En quelques décennies, cette région, qui, dans les années 1960, incarnait le triomphe de l'État français dans la maîtrise de son territoire et que l'on avait désenclavée à coups de financements publics et de routes gratuites, était devenue une aberration. Les Bretons avaient beau jouer aux farouches indépendantistes écologistes, il n'y avait aujourd'hui presque plus d'eau potable dans leur «Far West» tant les nappes phréatiques étaient gorgées de nitrates – contenus dans les urines de porc et les engrais – et les agriculteurs étaient si lourdement endettés que la moindre variation du cours de la viande ou des céréales mettait le feu aux poudres.

Avec le temps, ces anomalies étaient devenues la norme et ces habitudes de production étaient tellement ancrées dans l'économie du pays qu'elles généraient un aveuglement général. À tel point que les paysans comme Camille et les défenseurs de l'agroécologie – éparpillés sur des terres parcellées et souvent négligées par les tenants de l'agriculture intensive –, dont la production représentait une infime partie de celle du pays, quatre ou cinq pour cent tout au plus, étaient toujours considérés comme de prétentieux donneurs de leçon n'ayant pas voix au chapitre.

Il est vrai que la voie parallèle qu'ils proposaient restait à inventer de toutes pièces. Les jeunes épris de renouveau devaient redoubler d'efforts pour demeurer indépendants du système en place durant les Trente Glorieuses : bricoler leurs machines pour les adapter à leurs usages nouveaux, retrouver des semences qui ne soient pas stériles, rompre avec les syndicats aux mains des grands groupes industriels, recréer des échanges avec d'autres agriculteurs isolés parfois à des centaines de kilomètres pour mettre en commun leurs expérimentations, trouver des débouchés fiables en dehors de la grande distribution... Pour les gens comme Camille, la culture et l'élevage appelaient une remise en cause permanente, et c'était là un combat risqué, certes, mais qu'il fallait engager au nom de l'intérêt général.

Il n'avait qu'une obsession, lutter contre les idées reçues de ceux qu'il appelait les «réactionnaires», dont la pensée se résumait selon lui à une expression qu'il détestait : le «bon sens paysan», une formule inepte qui n'avait servi qu'à justifier la répétition de toutes les habitudes, qu'elles soient bonnes ou mauvaises. Il gardait toujours à l'esprit cette phrase de Baudelaire, poète qu'il adorait, dans *Mon cœur mis à nu* : «Défions-nous du peuple, du bon sens, du cœur, de l'inspiration, et de l'évidence.»

Pour Camille, l'agriculture n'était pas une chose évidente. C'était une aristocratie ouverte à tous, une affaire de courage, d'implication individuelle, d'intelligence, de grâce et d'inventivité. Il avait confiance en la nature et ne cherchait pas à la contraindre par des moyens artificiels mais plutôt à la soutenir, à magnifier son génie. Tous les gens qu'il admirait et qui lui avaient appris des choses fondamentales sur la culture de la terre et l'élevage étaient des penseurs, des anarchistes, des intellectuels marginaux qui refusaient toute forme d'habitude. La riche bibliothèque qu'il avait découverte chez Anne-Marie Perrault lui avait ouvert les yeux. Il avait lu des centaines de livres sur ces questions : des études sur les lombrics, des thèses sur l'équilibre de la puissance énergétique, des traités du XVIIIᵉ siècle sur le maraîchage... et il passait toujours une grande partie de son temps libre à fouiller l'immensité d'Internet pour compiler et échanger des milliers d'informations avec des fous dans son genre, hippies ou repentis de l'agriculture intensive, menant leurs expériences, parfois hors la loi, aux quatre coins du monde.

Si le renouveau d'une production de qualité était une donnée essentielle de l'équation qui se posait à eux, la distribution était de loin la plus épineuse. Pour offrir un autre choix suffisamment crédible que le système existant, celui des marchés d'intérêt national et des grandes chaînes de supermarchés, il aurait fallu atteindre rapidement un volume de ventes important et constant, ce qui aurait nécessité un investissement de plusieurs dizaines de millions d'euros. À défaut, il fallait s'unir et penser les choses de façon neuve.

Avec le concours de plusieurs paysans du coin, Camille avait ainsi créé un groupement de producteurs suffisamment important pour être compétitif sur le marché des grossistes et l'avait baptisé du surnom qu'il donnait à Victoire : La Louve. Son objectif était de défendre un bassin paysan en s'affranchissant de la figure trop réductrice du «petit producteur» et de proposer une production certifiée et homogène d'ampleur capable d'approvisionner de grandes épiceries, voire des réseaux de cantines ou de maisons de retraite.

Pour contrer la récupération du label bio par l'industrie agroalimentaire, la coopérative avait d'abord contribué à la mise au point, par la société Écocert et Bertrand Barguin, d'un système de certification – gradué de 1 à 5 en fonction de la qualité agroforestière de chaque exploitation – fondé sur la défense et l'enrichissement de la terre.

La Louve, qui avait installé ses bureaux dans un petit entrepôt de Cerizay, possédait deux facettes très distinctes. Pour les acheteurs en gros, elle était une véritable entreprise de négoce. Pour les clients privés, sa spécificité résidait dans sa face publique. Le hangar principal accueillait un vaste lieu de vente où les habitants avaient accès aux produits à des prix très compétitifs en échange de quelques services durant l'année : permanence à la caisse, encadrement de sorties pédagogiques, aide à la cueillette... À côté, Camille avait confié à Anne-Marie la création d'une librairie-bibliothèque, flanquée d'une petite salle polyvalente où elle invitait régulièrement des scientifiques alternatifs à donner des conférences ouvertes à tous.

L'initiative connut un grand succès mais, malgré la sympathie qu'elle suscitait, la fréquentation et le soutien des populations, la société demeurait économiquement fragile. Camille avait très vite compris que le développement d'un réseau de marchés permettrait d'augmenter le volume des ventes et la visibilité de la coopérative.

Avec l'argent du bord et l'implication de plusieurs paysans, il avait commencé à l'organiser dans les villages des alentours de Cerizay, d'abord à Nueil-les-Aubiers puis à Morte-Montagne. Deux amis architectes lui avaient dessiné sur mesure des structures amovibles très facilement déployables autour de trois camions électriques qui permettaient d'abriter une douzaine de stands alimentés par les producteurs de La Louve. Une personne salariée à plein temps gérait l'organisation des marchés, assistée chaque jour de vendeurs, de producteurs ou de clients qui voulaient apporter leur contribution.

Ce projet ne pouvait désormais se développer qu'à deux conditions : l'investissement d'environ deux cent mille euros et l'implantation dans de nouveaux villages. Ce réseau ne représentait une menace pour personne. Il se voulait simplement l'illustration d'une nouvelle direction, d'une envie de renouveler les choses.

Pourtant, la dégradation du marché confirmait à Camille que la route serait encore longue et que, au-delà du coût des réparations, un nuage supplémentaire venait d'apparaître dans le ciel de La Louve : au refus récurrent des banques de lui prêter l'argent nécessaire s'ajoutait maintenant l'hostilité ouverte de certaines communes.

Une fois de plus, il espérait qu'Anne-Marie, de passage à La Ville aux Voies pour étudier avec lui les stratégies à suivre, saurait l'aider à trouver les solutions pour éviter l'ornière qui s'ouvrait devant lui.

Après avoir nettoyé tant bien que mal les structures du marché et les avoir remisées dans l'entrepôt de Cerizay, Camille reprit le chemin de sa ferme. En arrivant, sans prêter attention à la voiture stationnée près de celle de Victoire, il franchit le seuil de sa maison et stoppa net : adossé au meuble de la cuisine, discutant avec Anne-Marie, se tenait son frère Romain.

La surprise et l'émotion le submergèrent :

« Sors de chez moi ! »

Camille avait hurlé et se dirigeait vers son frère, prêt à se jeter sur lui. Victoire l'arrêta.

« C'est moi qui l'ai invité.

— Je ne veux pas de ce type chez moi !

— Jusqu'à preuve du contraire, je suis aussi chez moi et ce "type" est ton frère, que tu le veuilles ou non. Alors, maintenant, tu te calmes et tu écoutes ce que nous avons à te dire. »

Camille était furieux mais accepta de s'asseoir à la demande de Victoire. C'est Anne-Marie, jusqu'alors silencieuse, qui prit la parole :

«J'ai beaucoup réfléchi à ce que tu m'as dit l'autre jour. Nous en avions déjà parlé avec Victoire et tu as raison : La Louve nécessite d'importants investissements si nous ne voulons pas la voir végéter. Mais ce n'est pas si simple. Le modèle économique est fragile et nous risquons de mettre en péril tout ce que nous avons déjà construit. C'est pourquoi j'ai pensé qu'il serait intéressant d'en parler avec Romain, de trouver peut-être un terrain d'entente en vue d'un partenariat ou d'une association.

— Tu plaisantes, j'espère ? Avec tout ce que ses imbéciles d'amis nous font subir depuis des années ? Avec ce qu'ils nous ont fait ce matin ? Le marché est annulé et nous en avons pour plusieurs milliers d'euros de réparations.

— Je ne suis pas responsable de ce qui s'est passé ce matin, Camille.»

La voix de Romain bouleversa Camille. Il ne l'avait pas entendue depuis des années et son souvenir était tellement déformé par la rancœur qu'il en avait oublié le calme et la douce assurance. Dans son esprit, elle était devenue aigre et hautaine, à l'image de ce qu'il avait fait de son frère : un monstre cynique dévoué à la destruction de la planète.

Pourtant, et contrairement à ce que pensait Camille, Romain Vollot n'avait jamais été personnellement hostile à la création de La Louve et, même s'il trouvait que le discours romantique de son frère sur le renouveau paysan sonnait un peu creux, il s'intéressait de près à ses idées et à son travail et lui reconnaissait volontiers beaucoup de qualités.

La grogne constante vis-à-vis de la coopérative que Camille croyait dirigée par son frère émanait en fait de la base, et c'est souvent malgré lui qu'il avait dû acquiescer aux manœuvres de ses éleveurs qui n'avaient de cesse de mettre des bâtons dans les roues aux paysans liés à La Louve : bloquer les demandes d'autorisation en mairie pour les permis de travaux, mélanger leurs bêtes à l'abattage avec celles d'agriculteurs traditionnels, empêcher la tenue de marchés ou de réunions...

Manipulés par des syndicats comme la FNSEA, héritiers des principes productivistes de la JAC, cette Jeunesse agricole chrétienne qui, dans les années 1950, sous la houlette de Michel Debatisse, avait contrôlé le monde paysan, les agriculteurs des Mauges qui pratiquaient la culture et l'élevage intensifs ne voyaient pas d'un bon œil arriver tous les jeunes donneurs de leçons dénigrant leur sainte trilogie : tracteurs, semences industrielles et engrais chimiques. Ils avaient beau regarder les époques se succéder à toute allure, eux tenaient bon car leur monde se structurait autour de principes irréductibles – travail et tradition catholique – et que, jusqu'ici, il avait bien résisté. Pourquoi auraient-ils changé quoi que ce soit alors que tout se passait bien ?

Pourtant, cachés derrière ce paravent de peur et de mauvaise foi, et même s'il était hors de question de l'avouer, ils commençaient à comprendre que l'eau qu'ils s'obstinaient à ne pas voir monter finirait par les noyer et que cette étendue merveilleuse de production aux limites infinies où les avaient conduits les beaux parleurs des fédérations paysannes était une impasse.

Les fermes s'étaient vidées de leurs familles, de nombreux agriculteurs mouraient de cancers et d'infections dus aux produits chimiques quand ils ne se suicidaient pas, les jeunes couples refusaient de prendre le relais de leurs parents et de subir le courroux de la population qui, de plus en plus, les accusait de polluer sans vergogne l'environnement et de détruire l'équilibre naturel des écosystèmes. Pour autant et à raison, ils ne se sentaient pas responsables de cette situation et changer individuellement leur façon de travailler leur semblait, de toute façon, une aberration. Alors, ils continuaient de suivre la voie dominante des syndicats, d'acquiescer aux études trafiquées des grands laboratoires et de baisser la tête devant la grande distribution plutôt que de s'intéresser au travail de ces «branleurs» qui ne connaissaient rien à rien et venaient empiéter sur leurs plates-bandes.

Romain savait qu'ils se trompaient mais il était devenu une pièce importante de cet édifice aux pieds fragiles qui le faisait vivre et, qu'il le veuille ou non, il devait en accepter les règles essentielles. Il n'avait pas d'autre choix que de se soumettre à leur volonté de blocage alors qu'il mesurait parfaitement la part d'intelligence qu'il y avait dans le travail de Camille et des paysans qui l'entouraient. S'il pressentait que le système auquel il participait était en partie trop vérolé pour continuer à fonctionner sans réforme, il savait aussi que le changement ne pouvait pas venir de l'extérieur et que des paysans comme ceux de La Louve étaient trop coupés des réalités paysannes classiques pour les faire changer. Il fallait que la révolution soit amorcée de l'intérieur.

Lassé par ces années de rancœur avec son frère, Romain avait souvent songé à enterrer la hache de guerre et, lorsque Victoire et Anne-Marie avaient sollicité ses conseils au sujet de l'avenir de la coopérative de Camille, il avait sauté sur l'occasion pour échafauder un plan d'association de Vollot Viande avec La Louve qu'il avait baptisé «Vollot Frères».

Grâce à son autorité sur les paysans, Romain pourrait ainsi tirer vers le haut la partie la plus problématique de ses élevages et améliorer la qualité sanitaire et nutritive de ses gammes les plus basses en amenant doucement ses meilleurs éleveurs, qui travaillaient déjà sérieusement, à une conversion vers les principes et la certification de cette agroforesterie que défendait Camille. De leur côté, les paysans de La Louve pourraient bénéficier de son réseau de moyenne distribution, aujourd'hui hostile à toute production non normée, que son sens de la diplomatie et son autorité permettraient de faire évoluer progressivement vers une meilleure relation avec les consommateurs en demande. Il ne faisait aucun doute que les clients ainsi que tous les acteurs impliqués dans Vollot Viande et dans La Louve avaient à y gagner. Restait encore à le faire accepter par Camille. Il continua :

« Je sais que votre démarche est bonne et que les gens qui t'entourent sont des paysans consciencieux. Et tu es suffisamment intelligent pour savoir que ceux qui sont de mon côté ne sont pas tous d'horribles destructeurs. Anne-Marie et Victoire ont raison, les choses ne changeront pas en un claquement de doigts. Je suis venu te dire que j'étais prêt à investir dans une forme d'association qui reste à inventer avec toi et ta coopérative pour démarrer un nouveau cycle.

— Arrête tes conneries ! Tu crois quoi ? Que tu vas t'acheter une bonne conscience sur notre dos ? Que tu vas nous la faire comme tes amis de la grande distribution qui mettent une photo d'un producteur en faisant croire aux clients que ses produits sont mieux cultivés que ceux du grossiste pour les vendre vingt pour cent plus cher ? C'est de l'arnaque tout ça, du marketing, et tu le sais très bien. Tu penses vraiment que l'on va entrer dans ton jeu après tout ce que l'on a sacrifié ?

— Il n'est pas question de vendre en supermarché, ce n'est pas du tout mon intention. Je suis prêt à mettre de l'argent pour consolider ta structure. Point. En contrepartie, je veux seulement que votre savoir-faire permette d'améliorer la production des éleveurs de mon réseau. Si tu veux, tu garderas les mains libres pour les circuits de distribution.

— Je ne veux pas entrer dans votre jeu, je veux le faire exploser. C'est trop facile de nous utiliser pour remplir la case "petits producteurs à bobos" et graisser vos marges pour ensuite, entre vous, dans vos réunions sur les salons agroalimentaires, au conseil général ou au ministère, nous ignorer en insistant bien sur le fait que ce n'est justement pas avec ces "petits producteurs à bobos" que l'on va sauver le monde. Mais vous n'en avez rien à foutre de sauver le monde ! Vous voulez juste vous gaver de pognon comme vos canards de maïs transgénique !

— Pourquoi tombes-tu toujours dans la caricature ? Je viens de te dire que nous sommes prêts à évoluer. À son époque, c'est ce qu'a réussi à faire notre père et cela tient. La viande que je vends dans mes boucheries est de très bonne qualité. On peut imaginer faire de même avec les légumes de La Louve, créer des marchés dans des lieux comme le Puy du Fou, fournir les bons restaurants du coin… »

La mainmise de Philippe de Villiers et de ses proches par l'intermédiaire du Puy du Fou sur l'économie, le tourisme et la morale dominante de la région avait le don d'exaspérer Camille. S'il adorait les gens du coin, leur humilité et leur sens de l'entraide, il ne supportait pas de les voir se mettre au service de ces catholiques ultraconservateurs – comme c'était le cas pour la Cinéscénie, assurée par des milliers de bénévoles alors que de Villiers en percevait seul les droits d'auteur – qui avaient caricaturé l'image

de la Vendée en un bastion réactionnaire et into-
lérant. Pour Camille, il était tout à fait impossible
de traiter avec ces gens qui incarnaient un esprit
bocager d'une étroitesse indécente au regard de
la riche histoire poitevine.

Contrairement à son frère, Romain Vollot
profitait à plein de la situation. Ami d'enfance
de l'un des fils de Philippe de Villiers et fervent
catholique, il considérait la Vendée comme un
modèle de réussite économique et sociale. Ses six
enfants – Louis, Marie-Gabrielle, Joseph, Jean-
Charles, Éléonore et Alban –, qu'il avait eus avec
son épouse, Astrid, suivaient d'ailleurs la voie
usuelle des fils de famille de la région : éducation
religieuse, scoutisme, retraites et pèlerinages. Il
ne faisait aucun doute que l'un ou l'autre conti-
nuerait les affaires de leur père qui, depuis le
départ de Camille, n'avait cessé de développer
Vollot Viande.

Il possédait désormais une dizaine de boucheries qu'il alimentait en viande de qualité et
en produits d'épicerie régionaux et continuait
de fournir en gros supermarchés et restaurants
de masse, notamment ceux du Puy du Fou.
Son abattoir tournait à plein, résistant aux aléas
des cours du marché. C'est pour cela qu'il était
devenu un personnage important du paysage
agricole local, menant d'une main de fer les
négociations concernant l'évolution des cheptels
d'élevage et des cultures fourragères.

« Tes boucheries et tes bons restaurants ?
Qu'est-ce que cela représente dans ton chiffre

d'affaires, hein? Quatorze, quinze, allez vingt pour cent? Et tout le reste, toute la merde que vous vendez dans les grandes surfaces, pour les cantines, les hôpitaux, les maisons de retraite? Vous empoisonnez les gens avec votre viande. Et ton Puy du Fou, tu peux te le garder. Comme si cela ne vous suffisait pas de rendre les gens malades, vous leur pourrissez aussi la tête avec vos polémiques sur le halal, vos fêtes du cochon et vos bondieuseries réactionnaires. Toutes les raisons sont bonnes pour critiquer le droit du sol mais qu'en est-il de votre devoir du sol, hein? Vous criez au feu en jetant de l'essence. Quand allez-vous changer, bon sang?

— C'est justement pour cette raison que nous sommes tous là.»

La voix de Victoire fit subitement descendre la tension qui régnait entre les deux frères. Anne-Marie continua :

«Camille, tu as tort de prendre les choses sur ce ton. Ces accusations ne mènent à rien. Au contraire, cette association avec Romain est une opportunité qu'il ne faut pas négliger.

— Mais tu ne comprends donc pas que l'immobilisme est inscrit dans leurs gènes? C'est leur fonds de commerce! Ils en font même des spectacles de leurs mensonges! Ce sont toutes ces conneries qui ont tué Antoine et qui continuent de bousiller des dizaines de gosses que l'on oblige à vivre selon leurs règles. Il est hors de question que je m'associe avec des gens qui pensent encore que l'homosexualité est une maladie. Tu imagines la vision du monde qui va avec ? Ce sont les mêmes personnes que tu as combattues il y a quarante ans. Pourquoi me demandes-tu aujourd'hui de me rallier à elles ? »

Camille se tourna vers son frère qui s'était levé :

« Tu peux garder ton argent. Je saurai très bien me débrouiller seul malgré la mauvaise foi de tes amis, banquiers et maires. Maintenant, sors de chez moi ! »

Romain salua Victoire et Anne-Marie et sortit. La discussion qui suivit ne fit pas changer Camille d'avis, il ne voulait rien entendre : il trouverait le moyen de faire grandir La Louve envers et contre tous, Victoire et Anne-Marie comprises.

«Salut fils, content de te voir.»

Jin accueillit Sarkis les bras grands ouverts. Comme toujours, il portait beau. La soixantaine, les cheveux gominés, costume clair, montre Cartier, chaussures impeccablement cirées : il avait tout l'attirail du petit magouilleur de quartier, ce qu'il était devenu.

Né à Wenzhou en 1950 et arrivé en France au milieu des années 1970 après avoir traversé l'Asie centrale jusqu'à la Turquie, Chu-Jung Zhao, surnommé Jin, s'était lié d'amitié une vingtaine d'années plus tard avec celui qu'il présentait comme un oncle de Raoul Sarkis, un certain Dimitri Aliyev, plus connu sous le surnom de Demetrios. Ensemble, ils étaient devenus des pionniers dans la fabrication de produits financiers adossés à des prêts immobiliers par le biais de sicav. Cette activité sophistiquée et encore très peu pratiquée – elle allait pourtant devenir célèbre avec la crise des *subprimes* – leur valut une retentissante heure de gloire au moment de la première crise immobilière des années 1990, lorsque leur talent fut utilisé en urgence pour débarrasser les banques françaises de dossiers d'emprunts trop dangereux et les faire racheter par des organismes belges, néerlandais ou luxembourgeois soumis à des fiscalités moins contraignantes.

Jin et Demetrios s'enrichirent en toute impunité durant des années, menant le grand train des voyous en habits officiels. À cette époque, Raoul Sarkis sortait de l'adolescence et s'ennuyait ferme dans le lycée privé de Boulogne où sa mère, sur les conseils de son père adoptif, Robert, un ancien diplomate mort quelques années auparavant, le tenait confiné après qu'il avait passé son enfance à découvrir le monde au gré des affectations consulaires. D'un tempérament solitaire et parfois violent, Raoul Sarkis n'avait que peu d'amis. Chaque jour, il se murait dans le silence et attendait la fin des cours avec la plus grande impatience, racontant à ses camarades qu'il allait rejoindre son oncle Demetrios venu le chercher dans l'une de ses voitures de sport pour partir en virée.

Ce séducteur irrésistible que personne n'avait jamais rencontré était, selon les dires de Raoul, l'exact opposé de son beau-frère, ce père austère et probe dont il avait, enfant, toujours haï la froideur. Il devint rapidement son modèle dans tous les domaines. Sous sa houlette et celle de Jin, Sarkis, étudiant dans une école de commerce de seconde catégorie, apprit les ficelles de la finance parallèle, l'art des petites combines et de la fuite en avant : ouvrir des sociétés, encaisser les contrats, vivre sur la bête et ne jamais rien payer, ni charges, ni prestataires, ni loyers, rien.

Après quelques années fastes, les affaires de Demetrios et de Jin firent pourtant long feu. La chute de l'administration de François Mitterrand et la disparition de leurs protecteurs libérèrent certains dossiers de leurs entraves et les procès s'enchaînèrent. À la fin de l'année 1995, lorsque son oncle, harcelé par la justice, disparut en Azerbaïdjan, Raoul Sarkis découvrit que celui-ci l'avait utilisé comme homme de paille pour plusieurs de ses sociétés. Une intervention d'anciens amis de son père lui évita la prison mais, le tribunal de commerce l'ayant condamné à un redressement fiscal et une interdiction de gérance de quinze ans, il préféra lui aussi prendre la fuite et partit tenter sa chance en Pologne.

Il n'en voulut jamais à son oncle Demetrios, avec qui il entreprit même par la suite plusieurs opérations fructueuses en Europe de l'Est et en Asie centrale avant que celui-ci ne disparaisse pour de bon au début de l'année 2001, vraisemblablement assassiné. Au contraire, Raoul Sarkis n'avait jamais caché un certain mépris pour le tempérament honnête et calculateur de son père adoptif, à qui il reprochait de ne l'avoir jamais aimé. En revenant monter des affaires en France, il voulait abattre sa statue, étonner son souvenir, lui montrer son talent, lui prouver qu'il dominait les rouages de ce monde globalisé, les paradis fiscaux, les montages de sociétés off shore, qu'il allait jouer gros, à Paris, et qu'une fois qu'il aurait fait la ripe il serait bien obligé de se retourner dans sa tombe et de reconnaître son génie. Pour cela, quoi de plus logique que de renouer avec l'ancien complice de son mentor, l'homme qui lui avait tout appris ?

« Salut Jin. Je suis heureux de te voir. Toi, t'as toujours autant la classe. À l'ancienne, quoi. Les filles doivent défiler, mon vieux !

— Je ne me plains pas. Ça va, ça va. Je n'ai jamais eu autant de succès que toi avec les filles. C'est toi le beau gosse mais je m'en contente. Il ne me faut pas grand-chose pour être heureux, tu sais. Savoir se satisfaire de peu, la famille, les enfants… tant qu'on a la santé et qu'on est à l'abri du besoin… Alors ? On m'a dit que tu ouvrais un restaurant ? Tu es rentré pour de bon ?

— Oui. Le Nain jaune, près des Halles. Mais je pense déjà à la suite. Je veux faire sauter Paris comme un bouchon de champagne et je vais avoir besoin de ton aide. T'as encore beaucoup de boutiques dans le quartier ? »

Quiconque fréquentait les rues de Belleville, Ramponneau ou Bisson aurait aussitôt deviné que la question n'était que rhétorique : Jin n'y avait pas seulement quelques adresses, il possédait la moitié du quartier, l'autre étant détenue par des compatriotes ou la mairie du XXe arrondissement.

En 1995, contrairement à Demetrios, Chu-Jung Zhao avait choisi de faire face à son procès. Soutenu par sa communauté, il pressentait que tout le monde aurait intérêt à étouffer ses malversations pour ne pas scandaliser l'opinion. Son témoignage pouvant devenir gênant à l'encontre de plusieurs hauts responsables, il s'en tira à bon compte : une amende, une interdiction de gérance et dix-huit mois de prison. En remerciement de son silence, il se vit même récompensé en nature d'un certain nombre d'ateliers avec pignon sur rue dans ces confins du XXe arrondissement, un quartier alors industrieux et encore peu contrôlé par la diaspora chinoise.

Depuis, il gérait ces biens en retraité intouchable qu'il était, collaborant avec la mafia locale aux activités plus ou moins licites du quartier. Jin était un prince de la petite semaine et c'est sans doute lui qui détenait la clef foncière du projet de Sarkis.

« Oui, j'en ai quelques-unes, concéda Jin dans un sourire. Qu'est-ce qui t'intéresse, fils ?

— Il me faudrait un autre restaurant, plus grand. Je voudrais faire un thaï. En tout, trois ou quatre restaurants qui ne soient pas trop loin les uns des autres. Et puis, une galerie d'art et un show-room de mobilier. Il n'y a que l'art contemporain et la bouffe qui les intéressent en ce moment. Le cash coule à flots. Ce serait idiot de ne pas en gratter un peu... Peut-être faut-il aussi imaginer autre chose : des boutiques, des commerces de bouche, des bars à cocktails... Pour le moment, je ne sais pas très bien. »

Jin l'écouta sans ciller, attendit quelques instants avant de lui lancer :

«Si ce sont des boutiques que tu cherches, pas de problème, je vais t'en trouver. C'est facile. Seulement, j'imagine que tu n'envisages pas sérieusement de devenir commerçant.

— On ne peut rien te cacher.

— Alors, il faut voir plus grand. Dans ce cas-là, j'ai peut-être ce qu'il te faut. Viens avec moi.»

Le taxi les déposa au numéro 11 de la rue du Roule, dans le Ier arrondissement. Jin actionna un portail qui ressemblait à l'entrée d'un parking souterrain et laissa Sarkis avancer dans une cour aveugle. De là, il fit rouler la grande porte d'un hangar après en avoir débloqué le cadenas. Raoul n'en crut pas ses yeux. Devant lui, longue d'une centaine de mètres, s'étirait une immense verrière industrielle XIXe sur laquelle ouvraient des dizaines d'ateliers et de galeries secondaires.

« C'est inouï ce truc !

— C'est surtout gigantesque. Quinze mille mètres carrés. C'est une ancienne fabrique de bougies et cristallerie condamnée à la fin des années 1950. Mon vieux pote Émile Allez avait hérité de l'ensemble et me laissait l'utiliser parfois pour me dépanner, stocker des marchandises. Il voulait le transformer, mais malheureusement il n'en a pas eu le temps. Sa fille est mariée avec un milliardaire, le plus grand assureur d'Amérique du Sud. Elle vit au Brésil.

Elle n'en a rien à faire de cet endroit. Elle m'a demandé de m'en débarrasser. Pas si simple…»

Sarkis continuait d'avancer, écoutant d'une oreille les explications de Jin.

«C'est une voie antique qui avait été privatisée puis couverte au XVIIIe siècle pour être transformée en manufacture de cire avant que tout soit déplacé à Antony. Tous les passages ont été murés mais elle débouche sur l'arrière de l'hôtel de Trudon rue de l'Arbre-Sec, communique avec le village Saint-Honoré et la rue du Roule, par où nous sommes arrivés. C'est entre La Samaritaine et la Bourse de commerce et à deux pas de ton restaurant.»

La rue centrale était pavée et bordée de petites maisons assez semblables de deux étages. La structure de la verrière commençait à cette hauteur mais l'on devinait que certains de ces ateliers étaient en fait de petits immeubles qui se prolongeaient à l'extérieur d'un ou deux niveaux. Au milieu, du côté droit, une galerie conduisait à une large cour encadrée d'une façade XVIIIe siècle sillonnée d'une coursive extérieure sur trois niveaux.

«C'était la limite de propriété de l'hôtel de Trudon. Ce bâtiment de service est adossé au mur d'enceinte. Derrière, c'est le village Saint-Honoré.»

Sarkis y visualisait déjà son hôtel : trente suites, un jardin couvert et un restaurant au dernier étage. Ils firent demi-tour et regagnèrent la rue couverte. Un peu plus loin, un autre passage menait à un gigantesque hangar, du même volume que la rue, exactement parallèle, du côté gauche. Sarkis remarqua que cet espace communiquait avec l'arrière de chaque maison dont il venait de voir les façades.

« Cet entrepôt ouvre sur la rue du Roule. Le deuxième portail. C'est ici qu'étaient stockées les matières premières, que l'on blanchissait et que l'on faisait sécher la cire. On chauffait aussi le cristal et la céramique dans ces fours, tout au bout. C'était sommaire et l'on ne fabriquait que de très petites quantités de pots seulement destinés à l'usage de la société de Trudon. Tous les éléments étaient ensuite répartis dans les ateliers pour le conditionnement, la vente et l'expédition qui se faisaient côté rue. Le lieu a eu plein d'usages par la suite : une manufacture de montres, une imprimerie… Du moins, c'est ce que m'avait raconté le vieil Émile.»

Face à ce lieu hors du commun et inconnu de tous, la machine à laquelle rêvait Sarkis commençait à prendre forme.

Ses futurs clients et investisseurs, les yuppies parisiens de sa génération, n'avaient aucun goût. Admirateurs d'avocats incultes comme Sarkozy ou Copé, la plupart ne juraient que par l'argent et ne s'en cachaient pas. Comme leurs idoles politiques, ils mangeaient peu et vite, adoraient la truffe, spéculaient dans l'art contemporain, aimaient les yachts et le show-business, passaient leur temps à se plaindre de la France tout en la pillant pour masquer leurs complexes face aux hommes d'affaires anglo-saxons auxquels ils faisaient tout pour ressembler mais qui les méprisaient. Ces gens étaient des chacals et des hyènes qu'il n'attirerait pas avec de belles idées mais de la verroterie en quantité : en plus de la découverte et de la restauration de ce patrimoine hors du commun, il fallait un projet d'ambition internationale porté par de grands noms de l'art contemporain dont ils achetaient les œuvres à coups de cartes American Express dans les galeries londoniennes ou new-yorkaises.

Ces artistes auraient une autre utilité : faire bouillir d'envie la presse magazine qu'il avait entrevue à Milan et qui jouerait la surenchère sans avoir les moyens de vérifier quoi que ce soit. Et tant pis si lui-même n'y connaissait rien. Il suffirait d'écouter Nicquesson ou le frère de Maxime. Il choisirait sur catalogue. Il serait toujours temps de parler de sa passion depuis l'enfance pour l'art. *L'émotion!*

Voilà pour l'habillage. La presse *lifestyle*, comme elle se définissait, s'enflammerait pour la réhabilitation de ce patrimoine exceptionnel autant que pour son implication de dandy esthète en faveur de la création contemporaine. Il irait même jusqu'à flatter leur esprit bohème et humaniste en ajoutant au projet quelque chose qui faisait courir Paris depuis dix ans et dont il commençait à percer les secrets : la gastronomie. Pas n'importe laquelle, hein, la gastronomie vertueuse, celle qui a le plus grand respect pour la nature et les paysans. Eux-mêmes ne seraient pas réduits à des photos sur le site Internet d'un restaurant, non, ils seraient là, leurs têtes derrière la vitrine de tous ces commerces de bouche. Cette immense rue couverte deviendrait tout un quartier, un village dédié aux artistes, à un nouvel art de vivre, à la vertu agricole et au bien-manger. Le mariage de Peggy Guggenheim et d'Alain Ducasse.

Arrivé à ce point, il atteindrait une dimension politique. La Mairie de Paris puis l'État ne pourraient que le soutenir. L'opinion publique le saluerait pour son initiative en faveur de la terre. Bernard Arnault, François Pinault, Xavier Niel et tous les plus grands fauves allaient se faire la guerre pour accaparer cette machine à sauver la France. Il pourrait négocier à sa main et faire une énorme culbute tout en gardant des parts. En plus, on lui érigerait une statue. Merci. Au revoir.

En cet instant, tout faisait sens : Sarkis avait enfin trouvé un défi à sa hauteur.

«Alors, comment on fait?

— Avec un tel foncier, fils, on a un levier énorme mais on ne peut pas taper d'un coup. Il faudrait cinquante ou soixante millions d'euros. Je pense qu'il faut tout découper, créer des unités avec des baux et des fonds de commerce séparés et les regrouper ensuite au fur et à mesure en fonction des investissements qui arrivent : boutiques, restaurants, hôtels, galeries, entrepôt…

— C'est une énorme pyramide. Il va nous falloir un moment avant de faire la culbute.

— Il me fallait au moins ça pour sortir de la retraite ! C'est risqué mais jouable. Personne ne te connaît et il n'y a tellement plus de cash en ce moment qu'ils peuvent te voir arriver comme le Messie. Tu vas quand même devoir faire cautionner ton projet par la Caisse des dépôts pour que l'Hôtel de Ville te laisse tranquille. Ils ne devraient pas fouiller trop profond. De mon côté, je te présenterai à Isabelle Baldessari, la maire du Ier, c'est une copine, pour qu'elle te cède quelques-uns des fonds qu'ils ont préemptés dans les rues alentour. Pendant la mise en place, tu auras le temps de monter d'autres restaurants et de gagner du crédit auprès de la Mairie de Paris. Avec tout ce qu'on a balancé comme contrefaçons, ça me fait bien marrer d'ouvrir à deux pas de chez Vuitton ! »

III

LIBERTÉ

En découvrant le contenu de l'enveloppe, Camille avait d'abord été surpris par l'invitation puis s'était laissé convaincre par son ami Bernard Ferrandier, le président de l'Association française d'agroforesterie, qu'il avait appelé pour avoir quelques détails. Rien de plus que ce qui était écrit noir sur blanc : Raoul Sarkis, le propriétaire du Nain jaune, les conviait, lui et Victoire, à Paris ainsi que de nombreux producteurs pour leur présenter son nouveau projet appelé «Le Pavillon des Horizons». À en croire Ferrandier, le déplacement valait le coup : «Un truc dingue! Tout le monde sera là. De mémoire de paysan, on n'a jamais vu ça…», avait-il ajouté juste avant de raccrocher.

Pour Camille, il était toujours difficile de s'absenter de la ferme mais il lui semblait délicat de refuser cette invitation tous frais payés – deux billets A/R en première classe et deux nuits d'hôtel – parce que, en premier lieu, les propos de Ferrandier avaient excité sa curiosité et qu'il avait le sentiment de participer à un événement hors du commun, ensuite et surtout parce que, en refusant de vendre sa production par le biais du circuit classique des grossistes majoritairement façonné sur le modèle de la grande distribution et malgré la création de La Louve et de son dispositif de marchés coopératifs, Camille était toujours confronté à une difficulté d'ordre commercial : trouver des débouchés fiables, à savoir des acheteurs reconnaissant la qualité de ses produits et acceptant de les lui acheter de manière régulière à un prix supérieur au cours moyen.

Ce marché demeurait fragile et très aléatoire puisqu'il ne concernait que les restaurants de la «nouvelle vague» et de petits points de vente destinés à une clientèle de jeunes célibataires fauchés mais dépensant sans compter et de riches bourgeois sensibles à l'air du temps. Aussi, lorsqu'un acheteur du Nain jaune était venu le voir avant l'été pour négocier les prix et lui avait fait comprendre à demi-mot que le restaurant ne serait qu'une étape, qu'à court terme leur volonté était de préempter une grande partie de la production de la coopérative, Camille avait vu son jour de chance arriver. Au-delà de la sécurité et du confort de travail qu'un tel engagement lui apporterait, il ne pouvait s'empêcher de songer plus largement que les temps étaient enfin en train de changer.

Il avait toujours su que son optimisme finirait par payer, que le grand public comprendrait la nécessité de modifier ses comportements et de se tourner vers les paysans engagés, de manger moins mais plus sainement et de protéger les gens qui prenaient soin de la terre. D'abord Paris et sa bourgeoisie branchée, puis les familles de la France entière, les institutions et les tenants de la restauration collective – cantines, maisons de retraite et hôpitaux –, où l'on continuait de servir une nourriture immonde, aux qualités nutritives aussi nulles que les sols appauvris par l'agriculture intensive dont elle était issue, aux personnes qui avaient le plus besoin d'aliments riches en micronutriments : les enfants et les personnes fragiles.

Cet appauvrissement nutritif de tous les produits de l'agriculture, directement imputable à la destruction progressive de la richesse minérale des sols et à la modification génétique des souches de toutes les espèces cultivées par l'industrie agroalimentaire – Bayer et Monsanto en tête –, était à l'origine d'un nombre considérable de dommages sanitaires allant de fragilités psychologiques jusqu'aux cancers du côlon ou de l'estomac, en passant par la stérilité et tous les stades de l'obésité.

Sous l'effet de cette agriculture irresponsable, après un siècle de règne pétrochimique, le corps moyen des individus vivant dans les pays du Nord ne cessait de muter et de se déformer sans que cela préoccupe le moins du monde les pouvoirs publics, qui réagissaient par des avertissements généraux appelant à surveiller la consommation de sucre des enfants ou conseillant de manger plus de fruits et de légumes. Le problème est qu'une pêche achetée à l'étal aseptisé d'un supermarché apportait désormais cinq fois moins de nutriments à son consommateur que cette «même» pêche qui aurait poussé dans un verger des années 1950, et que ce phénomène ne faisait que s'amplifier. En massacrant le sol sur lequel elle vivait, l'humanité s'était condamnée plus sûrement qu'avec ses guerres continuelles.

Pour autant, Camille était persuadé que ce cercle infernal finirait par se briser. Évidemment, il rêvait, mais il ne pouvait s'en empêcher. Il était habité par le démon de l'idéalisme, et chaque fois qu'une bonne nouvelle semblait se profiler il s'imaginait aussitôt en faire profiter le monde entier.

Quoi qu'il en soit, cette invitation était une bonne occasion de profiter de Paris avec Victoire, de passer saluer quelques-uns de ses fidèles clients, de flâner quelques heures au Louvre, d'aller voir un spectacle aux Bouffes du Nord... tout ce que leur vie à la campagne ne leur permettait plus que trop rarement.

Le lendemain de leur arrivée, après avoir pris leur petit déjeuner aux Bains, l'hôtel de luxe dans lequel on leur avait réservé une chambre, ils se rendirent dans le quartier des Halles où Le Nain jaune avait ouvert ses portes parmi les boutiques de fripes et les fast-foods.

Devant la façade où s'exposait un petit personnage figurant l'emblème du lieu, un nain jaune, quelques convives patientaient, entourant un homme en costume bleu et chapeau. Camille devina qu'il s'agissait de Raoul Sarkis. Ferrandier, qui faisait partie du groupe, les aperçut et s'empressa de faire les présentations à sa manière si délicate de Gascon, en hurlant :

«Ah, les voilà ! Victoire et Camille Vollot, les *top models* du bocage ! Je vous présente Raoul Sarkis, le dernier fou furieux au monde qui croit encore aux paysans ! »

Sarkis ricana devant cette formule qu'employait Ferrandier chaque fois et accueillit les nouveaux arrivants en déployant une humilité à laquelle seyait mal son costume sur mesure :

«N'écoutez pas Bernard. Je n'aime les paysans que lorsqu'ils sont vertueux comme vous. (*Et bonne comme toi ma chérie*, songea-t-il en dévisageant Victoire d'un regard adipeux qui provoqua chez elle un frisson de dégoût.) Merci de me faire l'honneur d'être venus jusqu'à mon petit restaurant. Entrez, je vais vous faire visiter», ajouta-t-il en prenant par l'épaule Camille qui n'avait rien saisi du personnage et le trouvait déjà fort sympathique.

Le Nain jaune était partagé en trois espaces. En entrant, un bar, couvert de marbre blanc et de miroirs, dont le comptoir en zinc – pour faire authentique – était agrémenté d'une trancheuse à jambon Berkel – pour satisfaire à la nouvelle mode gastronomique. Des cocktails au gin Monkey 47 et aux zestes d'agrumes d'une ferme des Pyrénées – la mixologie connaissait alors un net regain d'intérêt lié, comme la bistronomie, à l'attention aux produits sains et à l'inclination du public pour des alcools oubliés et des goûts francs – y étaient servis par une sorte de grand bûcheron barbu et tatoué.

Par une porte en bois blanc façon Savannah, ce bar ouvrait sur la salle du restaurant, un rectangle profond aux murs de pierres apparentes, terminé par une cuisine ouverte où officiait la brigade de Lorenzo Cattoretti et un escalier qui montait vers une autre salle à manger en mezzanine.

La designer Greta Eikjman s'en était donné à cœur joie. Le mobilier était magnifique. Tout respirait l'aisance et le fric neuf. Même Camille, qui n'était pas féru de ces décors pour magazines, trouvait l'endroit délicieux. Tout comme le cocktail. Il fit part de son admiration à Sarkis qui, se promenant au milieu des convives, avait conservé son air humble :

« Vraiment, monsieur Sarkis, c'est une grande réussite. Mes légumes sont parfaitement à leur aise ici !

— Tu permets qu'on se tutoie ? Appelle-moi Raoul, tu veux bien ? Ce restaurant, ce n'est que le début. Je fais ça pour vous, les poètes de la terre, pour que vous puissiez tous être fiers de votre travail, que les gens vous comprennent et vous soutiennent au même titre que des artistes. Votre engagement, vos combats en faveur du naturel, ce sont des valeurs auxquelles je tiens plus que tout. Tu vas comprendre en découvrant Le Pavillon des Horizons. D'ailleurs, il faut que je te laisse, je vais commencer.»

Sarkis s'écarta en faisant signe à Étienne Nicquesson de le rejoindre. En bouffon qu'il était, ce dernier, montrant Victoire d'un mouvement de menton, ne put s'empêcher de glisser discrètement à Sarkis : «Dis donc mon pote, y a pas que des artichauts qui poussent en Vendée. Elle est boooooonne la paysanne dans son p'tit jean pourri !» avant de partir d'un rire tonitruant.

La quarantaine de convives s'étaient installés dans la grande salle du restaurant. Sarkis, flanqué de ses conseillers et du chef Lorenzo Cattoretti, prit la parole. Il commença par lire d'un ton solennel un passage du *Ventre de Paris* d'Émile Zola où il était question de pavillon, de lumière, de pluie ardente, d'arrivages, de ville bruyante dans le matin – des Halles.

À la fin, Sarkis marqua une légère pause et répéta une phrase en regardant l'assemblée : «Ce fut alors une cité tumultueuse dans une poussière d'or volante... »

Puis il entama son discours :

«Mes chers amis, c'était en 1850 et Émile Zola, l'un des plus grands écrivains français, offrait ce formidable livre, *Le Ventre de Paris*, à notre imaginaire collectif. Un livre qui décrit le cœur magnifique d'une ville enthousiaste, à l'heure de son pays, ouverte aux flux de ses territoires et à la modernité de son quotidien. L'éternel et le futur permanent.

» C'est donc avec beaucoup d'émotion que je vous accueille aujourd'hui au Nain jaune pour vous présenter un projet révolutionnaire, un projet qui va faire renaître le visage avant-gardiste de Paris tout en bouleversant le monde de la gastronomie, un projet d'une grande évidence mais que le cynisme de notre société avait jusqu'ici rendu impossible.

» En hommage aux célèbres pavillons de Baltard et aux sublimes paysages de France, ce rêve s'appelle Le Pavillon des Horizons ou PaHo.

» Dans un passage oublié de quinze mille mètres carrés en plein cœur de Paris, l'ancienne manufacture des cires Trudon, que nous allons restaurer et rouvrir – et que nous vous présenterons prochainement –, nous avons imaginé un centre culturel inédit dédié aux mondes possibles.

» L'art y occupera une place prépondérante, centrale, avec des résidences, des galeries, des conférences, des ateliers pédagogiques, un théâtre et des événements permanents pour redonner aux citadins le goût de la flânerie, de la surprise et de l'échange.

» Il est aussi prévu l'ouverture d'un hôtel pour permettre une immersion totale dans cette expérience unique de redécouverte de ce quartier des Halles, longtemps perclus de travaux.

» Enfin, Le Pavillon des Horizons sera aussi un lieu de convivialité et de plaisir. Et je veux que la gastronomie y joue un rôle prépondérant. Non seulement la gastronomie mais aussi et surtout l'agriculture française et ses produits d'exception, sans qui elle ne serait rien. C'est pourquoi, pour optimiser la typologie des lieux, un grand entrepôt centralisera les meilleurs produits du pays et alimentera en direct des dizaines de restaurants et de commerces de bouche.

»Comme Paris l'a toujours fait, je veux que Le PaHo réunisse les poètes de l'éternel, les paysans, et ceux du futur permanent, les artistes, et que les deux travaillent côte à côte à réaliser ce rêve qui doit être celui de tous, le rêve d'un monde meilleur.»

En menteur invétéré, il ne put s'empêcher d'ajouter :

«Aujourd'hui, la Caisse des dépôts et la Mairie de Paris ont souhaité devenir partenaires du PaHo qui a l'ambition de s'imposer comme le "nouveau centre du nouveau Paris". D'autres importants investisseurs se sont montrés intéressés, preuve que nous sommes dans le juste.

»Tous les détails sont dans le document qui vous a été remis et nous aurons l'occasion d'en reparler.

»Encore une fois, merci d'être là.

»Je laisse la parole à Lorenzo Cattoretti qui va vous présenter le déjeuner qu'il a imaginé avec vos produits exceptionnels. Merci à tous et bon appétit ! »

Quelques applaudissements suivirent, plus surpris et affamés qu'enthousiastes, mais l'ambiance parmi cette assemblée bigarrée qui réunissait paysans, restaurateurs, artistes, architectes et conseillers en tout genre était plutôt bonne.

À en croire les visages, personne ne savait trop quoi penser de ce projet pharaonique. D'ailleurs, personne ne connaissait suffisamment les détails pour émettre la moindre critique, bonne ou mauvaise, mais, puisqu'il y avait de l'argent à prendre, a priori, tous en pensaient plutôt du bien.

Durant le repas, plusieurs personnes prirent la parole. Marie Sibony, la «curatrice» du projet, expliqua le principe des résidences d'artistes et son idée révolutionnaire de «happening permanent» en soulignant avec fougue qu'à notre époque bouleversée l'art seul pouvait changer le monde, avant de citer Gandhi et de laisser la parole à Bernard Ferrandier et Bertrand Barguin qui présentèrent les prémices de la fondation écolo-culturelle du PaHo. Le directeur de l'hôtel dit quelques mots sur le concept révolutionnaire d'hospitalité caritative qu'il allait mettre en œuvre. Enfin, Charles-Antoine Velhos et Urs Radiger, deux éminents scientifiques, dévoilèrent les grandes lignes de la charte de sélection des produits qui seraient commercialisés dans les boutiques du Pavillon des Horizons, dont ceux de La Ville aux Voies, que Camille découvrait avec bonheur, dans des assiettes en céramique japonaise, pour la première fois en plein Paris, déracinés mais magnifiés par la cuisine aiguisée de Lorenzo Cattoretti qui était parvenu à leur conférer un goût nouveau, presque métaphysique.

À la fin de ces interventions et malgré leur bonne volonté évidente de s'intéresser aux problématiques agricoles, les artistes, les architectes et les conseillers en communication frôlaient la crise d'épilepsie. Camille, lui, buvait du petit lait.

Un lieu culturel au cœur de la capitale qui accorde une telle place à l'agriculture. Quelques-unes des personnes qu'il admirait le plus, des gens dont il lisait les articles et suivait régulièrement les interventions retransmises sur YouTube, participaient au même projet que lui. Il n'en croyait pas ses yeux. Même ses rêves les plus fous avaient l'air de vulgaires cartes postales à côté de cette superproduction.

Camille commença à faire le compte. Le PaHo, avec ses dizaines de commerces et de restaurants, cela représentait des centaines de paysans français parmi les plus vertueux, des bassins de production dans toute la France et une plateforme logistique au cœur de Paris. Sans oublier que la fondation allait renforcer leur lobbying politique et permettre de diffuser largement leurs idées auprès du grand public grâce au vecteur de l'art contemporain. En plus, il y aurait bientôt des succursales en province et à l'étranger… À la fin du déjeuner, lorsqu'un photographe vint leur demander de poser pour une «photo de famille », Camille se sentit très fier de participer à cette aventure et ne comprit pas le refus de Victoire. Un peu éméché, il n'y prêta pas vraiment attention.

La photo terminée, ils allèrent tous deux saluer

Sarkis qui les convia au dîner du soir – surtout Victoire –, invitation qu'ils déclinèrent puisqu'ils avaient prévu d'aller au théâtre et de se coucher tôt et que leur train, le lendemain matin, partait à l'aube. Sarkis était vraiment navré de les voir disparaître aussi tôt – surtout Victoire – mais ils promirent de se revoir rapidement. Camille, enthousiaste, le remercia plusieurs fois pour son accueil, pour son implication en faveur du monde agricole, en profita pour l'assurer d'une bonne récolte de courges et de blettes à venir, et ils se séparèrent sur une accolade. Sarkis ne put en faire de même avec Victoire qui avait déjà pris ses distances et le toisait de ses yeux noirs.

Alors qu'ils traversaient la place du Châtelet pour regagner l'hôtel, Camille était toujours aussi enflammé :

« Ce type est formidable. Tu te rends compte, hein ? Personne n'a jamais eu les couilles de faire un truc pareil. C'est génial. Je suis sûr que ça va marcher. Tu as vu le monde qu'il y avait ? Que des pointures. »

Victoire s'était saisie du document de présentation du projet et commençait la lecture : *Le Pavillon des Horizons. Un pavillon antique, un horizon nouveau. Une philosophie. Un trait d'union avec les siècles d'histoire qui ont façonné notre époque. Nous devons apprendre de nos échecs, sortir de l'impasse moderne, décloisonner nos vies, retrouver le goût de l'échange, de la générosité, des plaisirs quotidiens – de l'émotion. Nous devons nous montrer à la hauteur des enjeux qui attendent notre monde, dépasser nos rêves et nos peurs pour construire ensemble un avenir digne des générations qui nous succéderont.*

« Camille ! commença-t-elle, mi-furieuse,

mi-moqueuse. Tu ne vas quand même pas me dire que tu crois à ces foutaises ? Ah, ça, c'est sûr, c'est bien écrit. Et puis quelques-uns, les scientifiques, Barguin, Lamoureux et Ferrandier, ont l'air à peu près sincères dans l'histoire. Mais enfin, ne me dis pas que tu es dupe de ce carnaval. Tous les autres ne sont que des opportunistes. Tout le monde n'est là que pour le pognon. Il est où d'ailleurs ce pognon ? On n'est même pas sûrs qu'il existe. Et ce Sarkis ! Il fait tellement bidon. Il est dégoûtant. Il a passé l'après-midi à me mater le cul. Idem pour Nicquesson. Comment peux-tu tomber dans leur panneau ? D'habitude, tu détestes ces gens, tu détestes leurs manières de goujats. Et puis, "Le PaHo" ! Ce nom est ridicule…

—Tu es dure. Je suis plutôt d'accord avec toi, ce ne sont pas des types très raffinés et ils n'y connaissent pas grand-chose mais bon, ils m'achètent mes légumes depuis plusieurs mois et ce qu'en fait le chef, c'est formidable. Le Nain jaune est une belle vitrine, non ? D'autant que ce n'est que le début. Ce passage couvert complètement oublié, c'est génial comme endroit. Et surtout, tous les gens qui réfléchissent bien actuellement en France participent à la mise en place : Velhos, Radiger, Barguin… Ils ne seraient pas là si Sarkis était aussi bidon que tu le dis. Ce projet écolo-artistique est parfaitement juste dans sa conception. Tu ne peux pas nier qu'il tient la route.

—À condition de mettre au moins cinquante

ou soixante millions d'euros, tu le sais très bien. Qui accepterait de les investir aujourd'hui dans un projet comme celui-ci qui ne rapportera rien avant dix ans ? Personne.

— La Caisse des dépôts a cautionné les emprunts. C'est l'État. C'est bien la preuve qu'il ne doit pas être si nul. C'est vrai que je déteste ce genre de personnages mais il ne faut pas généraliser. Raoul est plutôt sympa. Je n'ai pas remarqué qu'il te matait les fesses plus qu'un autre. Après tout, tu es la plus belle femme du monde et ce n'est pas le premier. Tu l'as pris en grippe, c'est tout. Allez, dis-le, c'est sa tête qui ne te revient pas ? T'aimes pas sa moustache ? Son air de Chinois ? Tu te rends compte, c'est la première fois qu'un mec aussi riche s'intéresse pour de bon à l'agriculture et met le paquet. Je ne vais quand même pas cracher dans la soupe. Je serais le roi des cons de ne pas le soutenir et de ne pas le laisser au moins tenter sa chance, non ? Tu ne crois pas ?

— La belle affaire. Ce type est un mythomane de premier ordre, voilà la vérité. Tu sais très bien qu'Anne-Marie sera de mon avis. Il va tous vous la faire à l'envers, vous n'allez rien comprendre. »

Sarkis, lui, n'avait pas perdu une miette de sa rencontre avec Victoire, cette beauté qui l'avait pris de haut. Elle l'avait excité. Pour qui se prenait-elle cette petite paysanne ? Elle n'avait pas encore compris qu'elle finirait comme les autres, qu'elle en redemanderait ? Son mec avait l'air d'un tel niais qu'il en ferait ce qu'il voudrait. Il aurait ses légumes pour pas un rond et si en plus il pouvait baiser sa femme… Il rangea Victoire dans un coin de sa tête et retourna parmi les invités.

Les paysans partaient les uns après les autres. Tous semblaient enchantés et convaincus – à l'exception d'un ou deux mauvais esprits – de l'importance du Pavillon des Horizons et de la révolution que ce projet allait entraîner. Évidemment qu'ils étaient las de ce monde ancien, du carcan encore trop lourd de cette agriculture technocratique imaginée par de Gaulle, des blessures de ce territoire remembré puis démembré, de ces abattoirs à animaux concentrationnaires, de toutes ces aberrations décidées par l'INRA depuis les années 1960, de cette omnipotence de Rungis. Ils n'en pouvaient plus d'être ostracisés par le système, moqués par la grande distribution, accusés d'idéalisme par leurs confrères. Le PaHo allait leur permettre d'exister, de montrer que leur combat n'était pas celui d'hommes de Cro-Magnon ou de jardiniers élitistes mais qu'il était juste, nécessaire et urgent.

Raoul Sarkis les saluait un à un, multipliant les accolades et les blagues, assurant chacun de la venue prochaine de ses équipes chez eux pour finaliser les contrats, mettre en place les procédures de paiement, les remerciant de leur présence à ses côtés, de leur talent, de l'émotion qu'ils savaient transmettre. Ces gens ne l'intéressaient pas le moins du monde mais il ne pouvait pas se passer d'eux. L'important était qu'ils soient tous sur la photo de famille et que ce projet se mette en place le plus vite possible pour commencer à faire circuler l'argent.

Il fallait maintenant songer à la soirée. Aujourd'hui, comme les autres jours, Raoul Sarkis invitait tout le monde et, tout en accompagnant le mouvement de départ des invités du déjeuner, il se prêtait au même jeu dans l'autre sens, accueillant les convives du dîner. Les propos de circonstance sur l'agriculture s'étaient vite évaporés, remplacés par des accolades viriles et des rires gras, des compliments sur la montre en or de ce footballeur du PSG, des clins d'œil complices avec un chanteur à la mode sur le décolleté d'une présentatrice de télévision.

Sarkis passait de l'un à l'autre sans difficulté, arguant de son aura mystérieuse et de sa générosité sans bornes. Puisqu'il n'avait aucune affinité avec le monde parisien, Nicquesson et son agence étaient chargés de solliciter des célébrités qui, pour le moment, demeuraient des personnalités de seconde zone ou des gloires sur le retour, des gens qui, en somme, lui ressemblaient et le révélaient dans toute sa fatuité.

Alors qu'il était occupé à saluer un vieil acteur comme s'il le connaissait depuis vingt ans, lorgnant au passage la poitrine de la jeune femme qui l'accompagnait, Cristina lui tapa sur l'épaule pour lui demander quelque chose. Il fit comme si de rien n'était. Elle insista. La scène devint gênante au point que l'acteur, qui ne savait pas qu'il s'agissait de sa femme, s'interrompit pour lui signaler cette présence. Sarkis, sans prendre la peine de faire les présentations, se tourna vers elle :

« Qu'est-ce qu'il y a ? Tu ne vois pas que tu me déranges ? Tu n'es pas encore partie ?

— Justement, je...

— Je n'ai pas besoin de toi, là. J'ai du travail. Retourne à la maison t'occuper de Sacha et Dorian ou, je ne sais pas, va dîner avec des copines mais, sois gentille, ne traîne pas dans mes pattes. »

La descente aux enfers de Cristina Sarkis venait d'atteindre un point de non-retour. Le lendemain, elle se ferait prescrire ses premiers antidépresseurs pour absorber la violence de plus en plus dense des assauts de son mari à son égard, de cet homme qu'elle avait rencontré dans l'indifférence de Varsovie et dont elle avait très tôt enduré les mensonges et les premières affaires véreuses, ce magnat de pacotille qu'elle avait soutenu financièrement et moralement durant son exil polonais et qu'elle sentait depuis quelques mois s'éloigner d'elle sans qu'elle pût desserrer l'emprise qu'il avait sur elle, au point de s'être jetée dans la gueule du loup en insistant pour endosser un rôle opérationnel au sein du Pavillon des Horizons.

Elle venait de comprendre qu'elle serait désormais bafouée sans limites, comme si sa vie n'allait devenir que la répétition de cet instant où il s'était débarrassé d'elle sans même un regard, l'abandonnant pour se retourner, la main sur l'épaule de ce comique ringard, et se diriger vers la salle du restaurant où elle apercevait Maxime, sublime dans son habituel fourreau noir, serrée de près par deux hommes aux cheveux gris.

Bien qu'il la trouvât, selon ses propres termes, «nettement plus bandante que Cristina», Sarkis ne se souciait pas plus de Maxime que de sa femme. Elle participait au dîner pour une raison précise : porter un soin particulier aux investisseurs potentiels et aux élus du peuple, faire en sorte de gagner leur adhésion au projet, leur donner envie d'appartenir à la «famille» – mettre de l'huile dans les rouages. Pour cela, tous les moyens étaient bons et il saurait la remercier en conséquence. Il la regarda un instant et la trouva particulièrement attirante dans sa robe Givenchy. Il se félicitait de l'avoir séduite et de posséder en elle une maîtresse acceptable, une *trophy girl* comme disait Nicquesson, une jeune femme de la bourgeoisie parisienne qu'il pouvait sortir en ville sans honte.

Il avait compris qu'à Paris, plus que partout ailleurs, il fallait veiller aux qualités de sa maîtresse, qui ne devait en aucun cas détonner avec son épouse, idéalement aristocrate ou issue de la grande bourgeoisie, mais en être une sorte de prolongement sexuel, une femme la concurrençant dans l'ambition et l'érotisme mais qui, de toute façon, ne la dépasserait jamais puisqu'elle ne pouvait apporter à l'homme auquel elle était liée aucun bénéfice social autre que mondain. S'il était trop tard pour réussir son mariage, au moins avait-il eu de la chance quant au choix de sa maîtresse.

Au dîner, on aborda succinctement le sujet du PaHo, Sarkis acquiesçant entre deux plats à la proposition d'un galeriste du Marais d'utiliser l'un des espaces durant les travaux pour y vendre des œuvres en faveur de la fondation écolo-caritative associée au projet. Les automatismes fiscaux atteignaient alors des sommets de raffinement. À sa droite, un autre marchand d'art, vexé d'avoir laissé passer sa chance, renchérit en proposant d'organiser un événement dans sa galerie de Milan. Il était sûr que les Italiens seraient sensibles à son engagement humaniste. N'avaient-ils pas déjà su apprécier le talent de Lorenzo Cattoretti? Ce fut l'occasion de s'extasier sur sa carte et les plats proposés – sans rien saisir de sa dimension métaphysique qui avait frappé Camille au déjeuner – avant d'ouvrir à un vaste comparatif des meilleurs restaurants parisiens dominé par Alain Ducasse pour les plus provinciaux, Éric Fréchon pour les sarkozystes, et Alain Passard pour les plus riches. On écouta poliment une jeune actrice à la mode s'extasier sur la vie à Los Angeles, puis les alcools vinrent conclure les agapes.

Depuis plusieurs mois, occupé nuit et jour à échafauder les structures financières de son Pavillon, Raoul Sarkis ne dormait presque plus. Le manque de sommeil, le stress généré par la complexité des montages, les rendez-vous, les dîners, les soirées, la négligence à suivre son traitement : ce cocktail de facteurs avait fini par aiguiser ses failles psychiatriques, dont les symptômes se faisaient de plus en plus prégnants.

Il mentait continuellement, distinguant de moins en moins la frontière qui séparait la réalité de sa propre perception. Le filtre de ses affabulations colorait son quotidien. À travers ses yeux, le monde se transformait en un ersatz miniature, un tapis de jeu sur lequel il pouvait laisser libre cours à son imagination, à la façon d'un enfant inventant des scénarios pour ses figurines. Lorsqu'il décompensait, chaque promesse devenait un contrat ; chaque sourire, une proposition sexuelle ; chaque dîner, le prélude à une orgie. C'était le cas ce soir-là.

Minuit était passé lorsque Sarkis les convia tous à une soirée qu'il organisait dans un appartement de l'avenue Kléber. À 4 heures du matin, la fête, où les avait rejoints une trentaine d'amis, battait son plein. Déambulant d'un invité à l'autre, demandant qu'on leur serve à boire, Raoul Sarkis naviguait en réalité dans un monde parallèle, à la merci de son cerveau qui projetait ses effets spéciaux.

Le long du bar, Nicquesson discutait avec deux jolies filles. Il se le figura torse nu, hilare et surexcité, alternant les lignes de coke et les verres de gin entre ces deux magnifiques créatures dont il léchait allègrement les décolletés. Dans le couloir, il crut voir un conseiller municipal tenir une jeune femme serrée contre le mur, une main dans sa jupe, l'autre sur ses hanches, l'embrassant frénétiquement. Le grand lit de la pièce attenante, face à une cheminée à propane, il en était sûr, accueillait la victoire de l'un des financiers, le plus âgé, sur Maxime qu'il prenait dans tous les sens depuis deux bonnes heures. À côté, derrière cette porte fermée, le footballeur s'était évidemment barricadé avec trois putes ukrainiennes et une caisse de champagne. Près de l'entrée, le galeriste qu'il venait d'apercevoir était sans doute parti vomir ses tripes dans les chiottes quand son concurrent londonien, plus résistant, faisait son possible pour retrouver son sang-froid à grand renfort de cocaïne, une jambe ballant de l'un des deux canapés de cuir noir du grand salon et le dos contre les seins nus d'une belle Asiatique qu'il s'était juré de faire jouir comme jamais elle n'avait joui – dès qu'il réussirait à bander.

Sarkis s'assit face à lui contre le dossier de l'autre sofa puis ferma les yeux. Il se félicita, se trouvant d'une élégance infinie par rapport à tous ces porcs qui n'en voulaient qu'à son argent.

Il s'imaginait trônant dans l'angle du fauteuil tel un baron de série B, la main sur la cuisse d'une sublime jeune femme, échangeant des blagues sur Jean-Claude Van Damme avec Ludovic, l'ancien loueur de voitures de luxe devenu son éminence nocturne, son préposé à l'organisation de soirées comme celle-ci.

De l'endroit où il se trouvait, il pouvait fantasmer la piste de danse où se frôlaient toujours quelques silhouettes assommées par la musique et l'ecstasy. Il divaguait. Il était satisfait de la tournure que prenaient les événements, s'étonnant même de voir agir aussi facilement de si vieux ingrédients. De l'argent, des filles et de la drogue, et tout le monde le suivrait en enfer.

Il était content de lui mais quelque chose l'agaçait qu'il ne comprenait pas. Il resserra son étreinte sur la cuisse d'une jeune femme, la fit venir face à lui et sortit son sexe. Pendant qu'elle suçait Sarkis, Ludovic passa derrière elle et releva sa jupe pour la sodomiser. Sous les assauts du plaisir, Sarkis ferma les yeux. Comme gravé sur le revers de ses paupières fermées, il distingua nettement un visage. Il appuya plus fort sur la tête de la jeune femme, enfonçant son gland plus profondément dans sa bouche jusqu'à jouir.

Ce visage, il l'avait reconnu. C'était celui de la femme de ce paysan dont il avait oublié le nom. Comment s'appelait-elle déjà ? Vi… Victorine ? Non. Victoire. Oui, c'est cela, Victoire Vollot.

En province, les espérances des producteurs comme Camille se trouvaient confortées par le retentissement du projet dans la presse. Internet fourmillait d'articles sur les dimensions pharaoniques du Pavillon des Horizons. Les magazines, français et internationaux, se gargarisaient de ce « chef-d'œuvre humaniste unique en son genre », laissant ses rédacteurs phares éclaircir, dans une surenchère de superlatifs, le mystère Sarkis, présenté, au fil des publications, comme un richissime financier puis un millionnaire, un multimillionnaire puis un milliardaire, puis un émir. Qui aurait osé mettre en doute la parole de tous ces titres si sérieux ? D'autant que l'heure n'était pas à l'enquête. La France avait besoin de sortir de la crise, de croire que ses grandes fortunes allaient enfin prendre les choses en main plutôt que de fuir le fisc. Le papier glacé remplissait parfaitement son rôle, il scintillait, et quoi de mieux pour escamoter un défaut que de le montrer en pleine lumière, de façon exagérée, pour que, fatigués de cligner des yeux, les gens regardent ailleurs ?

Ce n'était pas le genre d'Anne-Marie qui, informée par Victoire des grandes lignes du projet, pressentait une imposture. Elle profita de l'un de ses passages à La Ville aux Voies pour mettre Camille en garde.

« Tu vas beaucoup travailler pour ce Sarkis ?

— Pour le moment, je fournis son restaurant, Le Nain jaune. Tu verrais l'endroit, c'est magnifique. Et le chef, incroyable, j'avais l'impression de découvrir mes légumes.

— Mais son histoire de Pavillon, de quoi s'agit-il ?

— Un truc de fou, Anne-Marie. Une ancienne manufacture de cire près des Halles qu'il va transformer en un grand centre d'art. Il crée aussi des restaurants et des commerces de bouche. Il y a un entrepôt sur place pour centraliser les produits et alimenter les commerces et les restaurants. Il embarque deux à trois cents producteurs dans l'histoire. Il y aura aussi une école, des salles de conférences et de coworking…

— Et quand compte-t-il ouvrir son "truc de fou" ?

— Dans la presse, il annonce que les premières adresses ouvriront au mois de septembre.

— Six mois ? Je rêve. Il a juste besoin de refaire les peintures ou il est totalement inconscient ?

— Écoute, il sait ce qu'il fait quand même… Il a dit que cela pouvait être à Noël, au pire. En tout cas, vu ce que me racontent ses acheteurs et si j'en crois leur feuille de route, il n'y en a pas pour longtemps avant qu'il ne me rachète une grande partie de la production de La Louve. Voilà une bonne nouvelle : il va falloir agrandir la coopérative et acheter de nouvelles terres, ma chère Anne-Marie.

— Tu as signé un contrat ? Tu as reçu des acomptes ?

— Tu penses donc comme Victoire ? Que Sarkis est un imposteur ?

— Je ne pense rien. Il y a quelques semaines, tu me disais que La Louve était condamnée si tu ne trouvais pas deux cent mille euros et là…

— Avec un tel carnet de commandes, on est sauvés. On va pouvoir tranquillement développer les marchés.

— À condition que cela arrive. La proposition de Romain, elle, était ferme, concrète et immédiate.

— Ne recommence pas avec Romain. On parle de Paris, là, pas du Puy du Fou. Bientôt, c'est lui qui cherchera de l'argent pour survivre. Son système est en train de s'effondrer.

— En attendant, tout ce que je peux lire sur ce «PaHo» me passe au-dessus de la tête. Sur Internet, dans la presse, ils ne parlent que des artistes et de quelques paysans photogéniques comme toi. Ils se contentent de montrer vos têtes. Ils ne parlent nulle part des enjeux de l'agroforesterie, de votre travail, de la refonte des réseaux de distribution…

— C'est trop technique. C'est bon pour la presse spécialisée. Les gens veulent bien manger, le reste ne les intéresse pas. Qu'ils ne comprennent pas qu'à cette dimension on devient une première petite concurrence viable à Rungis et à la grande distribution, ce n'est pas très grave. L'important est qu'ils viennent du monde entier, qu'ils s'amusent et qu'ils achètent nos produits.

— Et tu craches sur le Puy du Fou? Mais c'est un parc d'attractions qu'il est en train de fabriquer ton Sarkis! Il s'en moque de votre travail, il veut seulement créer une marque, un joujou pour les Parisiens et les touristes friqués.»

Une fois de plus, Anne-Marie avait posé le doigt sur le danger que courait Camille. Le quiproquo qu'elle soulignait était de taille mais il jouait pourtant en faveur de Sarkis. Malgré son positionnement très bancal et le flou qui entourait sa structuration, Le PaHo rassurait par son ambition démesurée. Paradoxalement, cette mégalomanie – par son abstraction – rendait plus «vraisemblable» la mise en place de ce système à une si grande échelle.

Concernant la seule partie agricole, pour qu'un tel projet puisse fonctionner, il fallait le construire autour d'un outil logistique et programmatique : des paysans identifiés dans six bassins de production – Normandie, Poitou, Pays basque, Midi-Pyrénées, Rhône et Bourgogne – rassemblant localement leur production dans un premier entrepôt régional puis alimentant celui du Pavillon des Horizons afin d'approvisionner les commerces et les restaurants.

C'était là le vrai enjeu du projet, la création en négatif et au cœur de Paris de l'utopie techno-cratique de la loi d'aménagement du territoire de 1966 et du marché de Rungis ; le premier modèle viable de production vertueuse et de vente en direct à une échelle beaucoup plus vaste que celle pratiquée par de jeunes paysans engagés localement et les communautés de babas cool. Le Pavillon des Horizons, par la reconquête du centre de Paris, n'était ni plus ni moins que le premier pas dans une direction salutaire capable de sortir la France du cercle vicieux dans lequel la maintenait prisonnière l'industrie agroalimen-taire.

Cette perspective, les agriculteurs tels que Camille et tous les acteurs marginaux d'une chaîne vertueuse mais désordonnée l'avaient aussitôt comprise, de même que les premières banques qui avaient investi dans la création de cet outil. C'était justement pour cette raison que partout en province des dizaines de personnes étaient prêtes à s'engager corps et âme derrière Raoul Sarkis, un homme qu'elles ne connais-saient pas. Elles pressentaient que l'heure cru-ciale pour la naissance d'un nouveau modèle de production et de consommation était arrivée. C'est pourquoi elles voyaient en Sarkis une sorte de porte-parole ou, mieux, de messie.

Seulement, cet espoir fou que nourrissait le monde paysan, la presse et le public parisiens n'en avaient que faire, trop occupés à relayer les rumeurs et les noms des nouveaux artistes et des diverses personnalités qui apparaissaient chaque semaine. Des dizaines d'articles sortaient tous les mois pour parler du projet sans jamais évoquer les enjeux de l'agriculture, mais c'étaient pourtant ces articles, de plus en plus superlatifs, qui rassuraient les paysans. Et c'est précisément ce hiatus qui rendait possible l'exécution du plan de Sarkis qui se trouva rapidement engagé sur plusieurs fronts.

À la fin de l'année, alors qu'aucune des ouvertures annoncées n'avait encore eu lieu, Étienne Nicquesson eut la charge d'organiser un dîner réunissant un groupe d'amis connus pour leur réussite dans le monde parisien des affaires et qui, s'étant montrés intéressés par Le Pavillon des Horizons, désiraient faire connaissance avec Raoul Sarkis.

La rencontre eut lieu chez Castel, un club historique de Saint-Germain-des-Prés qui venait de rouvrir après avoir été rénové de fond en comble. L'entrée y était particulièrement sélective et la fine fleur des hommes d'affaires et des héritiers de la grande bourgeoisie venait s'y mélanger avec tout ce que Paris comptait d'artistes et de créateurs branchés, écrivains, musiciens, stylistes. Détail de l'ambition coquine du lieu, la moquette, d'apparence classique, laissait deviner des entrelacements de pénis et de vagins, et accompagnait les fêtards, depuis le premier étage jusqu'au sous-sol, du restaurant au bar puis à la piste de danse.

En entrant dans la salle du restaurant et avisant la beauté des femmes qui s'y trouvaient, Nicquesson ne put s'empêcher de glisser à Sarkis :

«Cette moquette me donne faim. J'ai envie de bouffer des chattes, quoi!»

La sortie fit sourire Sarkis qui trouvait lui aussi la moquette très à son goût.

Samuel Blumenfeld, un promoteur immobilier très en vue, les accueillit chaleureusement avant de leur présenter les autres convives : Hervé Babilée, créateur d'un fonds d'investissement à destination de l'art contemporain, Philippe Duras, banquier reconnu pour ses investissements dans l'agriculture sud-américaine, et Jean-Étienne Rousselet, héritier d'un grand groupe de prêt-à-porter. Après plusieurs coupes de champagne et quelques blagues de circonstance, le dîner s'ouvrit sur des généralités : la frilosité des marchés financiers, le terrorisme islamiste, les premières conséquences de l'arrivée de la gauche au pouvoir.

Jean-Étienne Rousselet, le premier, amena la conversation sur le sujet qui les réunissait :

«En tout cas, mon cher Raoul, nous sommes heureux de te recevoir chez Castel. Ce sont de bons amis qui ont racheté l'endroit et ils font de leur mieux, mais l'hospitalité n'est pas vraiment leur métier. Je me permets donc de te présenter des excuses en leur nom : la cuisine n'est pas aussi divine que dans ton restaurant Le Nain jaune. J'y suis allé la semaine dernière avec ma femme et deux amis. C'était délicieux. Félicitations.

— Merci Jean-Étienne. Je suis heureux que le dîner t'ait plu. J'ai eu beaucoup de chance de trouver Lorenzo Cattoretti. C'est un grand chef. Mais tu n'as pas besoin de t'excuser, ce poisson n'est pas mal du tout. Pour des amateurs, vos amis se défendent très bien. On pourrait d'ailleurs y réfléchir. Peut-être pourrons-nous trouver un arrangement par la suite pour que les produits du PaHo soient proposés ici.

— C'est une idée car je suis aussi allé au Nain jaune, ajouta Hervé Babilée, et c'est vrai que c'était particulièrement réussi. Mais dis-moi, dans ce Pavillon, ce seront les mêmes produits que ceux cuisinés dans ton restaurant qui seront mis en vente ?

— Entre autres. Alimenter plus de trente magasins et restaurants nécessite un flux très important. Mes équipes travaillent depuis plus d'un an pour identifier des producteurs vertueux et structurer des bassins de production capables d'approvisionner régulièrement les étals.

— Les prix seront forcément très élevés.

— Disons qu'ils seront justes. Certains produits exceptionnels qui nécessitent des conditions de préparation hors norme, comme le jambon de cochon noir par exemple, seront évidemment vendus à des prix élevés mais pas plus que dans une épicerie de Saint-Germain. Et ils seront d'origine française. Ensuite, le but est d'avoir une entrée de gamme de produits de consommation courante d'excellente qualité, comme les légumes ou la viande, au prix d'un marché bio.

— Et tu penses que le modèle est viable au vu des loyers parisiens exorbitants ? Qu'il est rentable, je veux dire ?

— Le succès d'Eataly parle de lui-même. Et Le PaHo a même un énorme avantage : sa fréquentation sera assurée par les événements culturels. Le modèle nécessite de forts investissements initiaux pour pouvoir ensuite être décliné. Je pense qu'il faudra deux Pavillons à Paris. Celui des Halles et peut-être un autre en banlieue, à Pantin. Ensuite, il faudra l'exporter comme un étendard du renouveau artistique et gastronomique français. »

Les quatre associés marquèrent une pause. Les arguments de Sarkis faisaient mouche et ils savaient que, même si le coup demandait d'énormes investissements, il était jouable. Chacun y devinait son intérêt économique mais aussi l'évident gain de notoriété publique que pouvait leur apporter un tel engagement en faveur du pays.

« Mes conseillers ont déjà commencé à étudier le projet. On va s'en reparler très vite », conclut Blumenfeld. La conversation dévia rapidement sur autre chose et les alcools vinrent achever cette rencontre décidément très positive. Après tout, comme le rappela Nicquesson avant de s'évaporer parmi la foule du bar, la nuit ne faisait que commencer et ils auraient bien l'occasion de reparler dans les détails de ce projet si bénéfique pour la France qu'ils allaient essayer de mener à bien tous ensemble.

Sans qu'ils y prêtent attention, à quelques tables d'eux, un jeune homme regardait dans leur direction et interrogeait son voisin :

« Manu, tu sais qui est le mec qui dîne avec Blumenfeld, Duras, Babilée et Rousselet ? Sa tête me dit quelque chose…

— C'est Raoul Sarkis. Le millionnaire qui a créé Le PaHo, tu sais, le nouveau centre arty-écolo, aux Halles, dans l'ancienne manufacture Trudon. C'est lui qui a Le Nain jaune aussi, rue Saint-Honoré.

— Ah oui ? Cela ne me dit rien du tout, en fait. Je dois confondre. Aucune importance. »

Le lendemain matin, Sarkis retrouvait Jean-François, Nicquesson, Barguin, Lamoureux et deux journalistes à Orly avant de s'envoler pour Nantes. Ferrandier, qui était en lien permanent avec les paysans par le biais de son association en faveur de l'agroforesterie, lui avait organisé un voyage de découverte du bassin de production du Poitou et de plusieurs exploitations vertueuses, parmi lesquelles La Ville aux Voies, dont les produits étaient utilisés au Nain jaune et seraient vendus dans Le Pavillon des Horizons.

Toujours assez peu intéressé par les enjeux du monde paysan, Sarkis se prêtait généralement à ce genre d'excursions sans enthousiasme mais celle-ci était différente : elle allait lui permettre de revoir Victoire Vollot. Il ne doutait pas que, depuis le moment glacial de leur première rencontre, les choses avaient sans doute beaucoup changé. Impressionnée par le retentissement du PaHo et son dévouement patriotique, elle avait dû mettre de l'eau dans son vin et devait maintenant le considérer à la juste mesure de son talent, ce qui laissait présager à son égard – il en était sûr ! – les prémices d'une admiration qui ne tarderait pas à se muer en désir.

En réalité, la situation du PaHo était proche d'atteindre un point critique. D'un côté, comme le lui avait conseillé Jin, Sarkis avait embauché des dizaines de personnes pour valider le volet social de son projet – créer de l'emploi – et gagner du temps auprès des institutions publiques qui se trouvaient obligées de le soutenir. De l'autre, il avait largement sous-estimé les temps de travaux et de mise en place pour rendre les investissements plus attractifs. Résultat, près d'une centaine de salariés étaient payés depuis plusieurs mois à ne rien faire.

Malgré les sommes empruntées, les charges inévitables, Urssaf en tête, commençaient à écluser son trésor. Il avait beau avoir ouvert de petits restaurants comme ceux de spécialités italiennes ou japonaises dans la rue du Roule, l'argent drainé n'était pas suffisant et il allait devoir rapidement trouver de nouvelles sources de financement ou d'autres sociétés à racheter pour inventer de nouveaux crédits et faire entrer de l'argent frais.

Sarkis ne paniquait pas pour autant : sans douter de la réussite de son projet génial, il essayait juste d'accélérer les choses au maximum pour avoir le moins possible à payer. Les bonnes ou mauvaises nouvelles dans les affaires ayant toujours un coup d'avance, paradoxalement, pour le grand public, le projet de Sarkis n'avait jamais semblé aussi réaliste. Même les plus sceptiques avaient fini par croire en lui et en sa capacité à canaliser ces dizaines de millions.

D'ailleurs, Bernard Ferrandier et Camille Vollot, qui étaient venus accueillir la délégation à l'aéroport de Nantes, n'en doutaient pas une seconde : Raoul Sarkis était leur sauveur, leur guide, leur général, leur François Athanase Charette de La Contrie. À la sortie de son avion, apercevant les deux compères, le grand chambellan des terroirs fut néanmoins déçu de ne pas trouver Victoire, ce qu'il fit aussitôt remarquer à Camille :

« Ta charmante femme n'est pas venue avec vous ?

— Victoire ? Oh non, elle travaille. Peut-être sera-t-elle à la ferme ce soir avec les enfants pour le dîner. Je ne sais pas ce qu'elle a prévu. En attendant, nous avons du pain sur la planche. »

La journée s'annonçait longue pour Sarkis. Elle commença par la visite de la propriété d'un céréalier qui cultivait son blé selon les principes de l'agroforesterie – sous couvert végétal et entre des rangées d'arbres plantés en plein champ – et qui venait d'être récompensé d'un prix agricole pour son ingéniosité et ses résultats plus que probants.

Il faisait beau ce matin-là mais il avait plu toute la semaine précédente et la terre du bocage était lourde et collante. Sarkis ne désarma pas de son look habituel et s'avança dans les champs en costume Saint Laurent et chapeau. Accompagné de Bernard Ferrandier qui plantait sa pelle de temps à autre pour montrer au petit groupe – prudemment chaussé de bottes en caoutchouc – la fertilité de la terre dont témoignait le nombre impressionnant de lombrics, Sarkis tenait à peine debout. Ses pieds s'enfonçaient jusqu'à la cheville et la glaise gorgée d'eau couvrit bientôt ses souliers d'une épaisse couche de plusieurs centimètres. La scène était cocasse mais fut relatée sans humour par les deux représentants de la presse quotidienne régionale accourus pour les faits et gestes de celui que l'on présentait désormais comme un sultan.

La petite bande regagna le minibus et poursuivit l'excursion par la visite des parcs en plein air d'un élevage de volailles avant d'arriver au siège de La Louve.

Camille expliqua longuement le principe de cette coopérative d'un nouveau genre et de son réseau de marchés qui permettaient l'interaction entre paysans et consommateurs et dont la philosophie était proche de celle défendue par Le Pavillon des Horizons. La journée s'acheva par la découverte de La Ville aux Voies, ferme modèle par excellence, où Camille avait organisé un dîner et où les «Parisiens» devaient loger pour la nuit dans une ancienne grange que Camille avait transformée en maison d'invités. Ce fut Victoire, en pantalon noir et sweat-shirt, les cheveux simplement noués en chignon, qui les accueillit devant chez elle à l'heure du dîner, flanquée de ses deux filles. En la saluant, Sarkis ne put manquer d'insister lourdement :

«Décidément, ce bocage est un vrai paradis. La beauté y est partout!

— Vous semblez plus habitué aux pavés», lui répondit sèchement Victoire, amusée de voir ses chaussures et les jambes de son pantalon encore couvertes de boue.

Sarkis, feignant de ne pas avoir saisi la référence au ridicule de son attirail de nabab ainsi qu'à l'enfer et son pavage de bonnes intentions, continua comme si de rien n'était, en passant la main sur les cheveux de Jeanne :

«Eh oui, à Paris, malheureusement, nous sommes bien trop coupés de la nature. Ici, je revis! Il ne faudra pas hésiter à revenir nous rendre visite. Vous viendrez voir les légumes de votre mari dans les boutiques du PaHo. Ils feront partie de nos produits phares.

— Je n'y manquerai pas. J'ai tellement hâte de voir nos carottes et nos poireaux à l'horizon!»

La blague fit rire toute l'assemblée qui s'engouffra dans la maison pour partager quelques verres de vin et déguster un échantillon de spécialités locales vendues par La Louve. Sarkis demanda à Camille s'il était possible de lui indiquer où se trouvait sa chambre. Il voulait passer quelques coups de téléphone avant le dîner.

«Oui, bien sûr. Bien sûr. Elle est dans l'ancienne grange, de l'autre côté de la cour. Victoire, peux-tu conduire Raoul à sa chambre? Je ne sais pas où sont les clefs.»

Victoire, qui préférait ne pas faire d'histoires, se leva et passa devant Sarkis qui traversa la cour à sa suite. Elle ouvrit la porte principale qui donnait sur un salon puis celle de sa chambre, donnant sur le couloir.

«Voilà. J'ai mis des draps propres. Ce n'est pas très grand mais vous serez bien ici, près de la nature…»

Elle se retourna pour sortir mais Sarkis lui bloqua le passage et la saisit par la taille :

«Encore mieux si c'est avec toi.»

Il resserra son étreinte et essaya de l'embrasser tout en la poussant vers le lit. Victoire ne se démonta pas. D'un mouvement, elle réussit à l'esquiver et recula jusqu'à l'embrasure de la porte. Elle se posta face à lui :

«Écoutez-moi bien, le tartuffe gastronome. Je ne sais pas dans quel monde vous vivez mais il n'a rien à voir avec le mien. Un geste de plus et je vous envoie chez les flics. Je ne dirai rien parce que vous êtes en affaires avec mon mari mais je préfère vous prévenir : ne vous avisez même plus de m'adresser la parole ou de toucher à un cheveu de mes filles.»

Lorsque Victoire regagna la maison, Camille remarqua son air courroucé mais n'y prêta pas attention, pensant qu'elle était seulement préoccupée par le fait de recevoir autant de monde. La soirée suivit son cours et le dîner, pour lequel Camille et Victoire avaient concocté un menu des plus simples, se déroula dans une excellente ambiance.

Quelques tartes légères aux poireaux, aux carottes et aux épinards furent apportées en guise d'entrées. La vue de ces plats sortant du four fit rugir de plaisir l'assemblée affamée. Leur saveur unique acheva de la conquérir. Autant, lorsqu'ils étaient utilisés par Lorenzo Cattoretti pour composer les plats du Nain jaune, les légumes de La Ville aux Voies offraient à l'imagination des Parisiens un paysage abstrait, fantasmé, un point de fuite, autant ici, sur le lieu même de leur culture, ils réjouissaient les convives de leur évidente sensualité. Dans les assiettes, autour de la viande soyeuse du poulet jaune de basse-cour, légèrement beurrés, les navets, les pommes de terre, les haricots ou encore les feuilles de chou rayonnaient de puissance et de joie. Chaque bouchée révélait la qualité du travail de Camille, son don unique pour la culture. Elle en était l'aboutissement ; mieux, elle le justifiait.

Dans la salle à manger de cette ferme posée au milieu de nulle part, préparés le plus simplement du monde, tous les produits irradiaient un optimisme prodigieux. En bons partisans du miracle, Ferrandier, Barguin, Lamoureux, Nicquesson, Jean-François et tous les invités se remplissaient le ventre de ces étoiles terrestres avec gourmandise.

Au bout d'un moment, les conversations, de plus en plus enivrées, allaient bon train. Les rires fusaient. Plus personne ne prêtait attention à Raoul Sarkis, qui avait rejoint la bande et se tenait silencieux à l'une des extrémités du banquet.

Pourtant, devant la générosité nue de cette table, son visage avait du mal à contenir les stigmates d'un sentiment qu'il découvrait : son émotion. Dépourvu face à la sincérité de ces gens qu'il avait toujours considérés comme des fairevaloir, des moins que rien, son cynisme perdait de sa vitalité. Tout le temps du dîner, il ne put se défaire de ce sentiment inconnu qui l'avait saisi, mélange amer de culpabilité et de tristesse, et demeura en retrait, écoutant Nicquesson et Barguin animer de leurs blagues potaches les discussions qui se prolongèrent jusque tard dans la nuit. Il était temps pour lui de revenir aux choses sérieuses.

Peu avant l'aube, Victoire s'éveilla en sursaut. Par la fenêtre entrouverte, une légère brise faisait doucement s'agiter les rideaux. Sa peau d'instinct frémit dans les grains d'insomnie. Elle repensa à Sarkis. Quel odieux personnage. Sa présence distillait une énergie maléfique, toxique. Elle avait peur pour Camille, elle devait le convaincre de quitter ce projet même si elle savait qu'une fois encore il n'aurait que faire de ses intuitions. Après tout, peut-être devait-elle simplement lui faire confiance. Elle allongea son bras gauche et posa sa tête contre le dos de Camille, le couvrant de ses cheveux. Elle sentit la chaleur de son corps contre ses seins, de ses fesses sur son ventre. Ses jambes se mêlèrent aux siennes, s'ajustant jusqu'au creux de sa plante qu'elle frotta de son coup de pied. Encore une fois, elle allait devoir le protéger de son propre idéalisme, le seul de ses traits de caractère qu'elle savait capable de l'éloigner d'elle, lui qui pourtant l'aimait tant et la cherchait encore ce matin parmi ses rêves.

Encore à son sommeil, Camille se retourna sur le dos. La main de Victoire effleura l'intérieur de ses cuisses jusqu'à son sexe qu'elle saisit. Camille frissonna. Depuis le creux de son cou, Victoire fit glisser doucement ses lèvres jusqu'à son bas-ventre. Elle serra doucement le pénis de Camille qu'elle sentit se raidir dans sa main puis le prit dans sa bouche. Ses seins frottaient doucement contre les jambes de Camille. Elle avait porté son autre main contre son clitoris, son plaisir coulait entre ses doigts comme un filet de sable fin. Elle se dressa sur ses genoux, s'avança et s'assit sur lui. Elle le fit entrer doucement en elle. De ses deux mains, elle prit appui sur ses épaules et le fit s'enfoncer plus profondément. Son bassin oscillait des fesses à ses cheveux, forêt de roseaux dans le souffle d'une brise. Ses ongles vernis de rouge fouillaient le torse de Camille qui ouvrit les yeux. Il la vit, le visage blond, les seins offerts. Il gonfla sa poitrine, étirant ses bras et sa tête en arrière pour en chasser la nuit. Elle sembla s'élever dans les airs puis se pencha sur lui, ventre contre ventre, comme pour étouffer sa révolte. Le visage de Camille disparut dans ses cheveux. Elle le mordit à l'oreille, laissant crisser la barbe neuve contre sa joue. Le sentant venir, elle referma l'étreinte de ses cuisses et de ses fesses ; son sperme s'immisça en elle. Elle serra son sexe autour du sien. Son ventre s'agita. Deux fois – un gémissement, comme un souffle –, trois fois. Puis, le silence.

Le lendemain matin, après le petit déjeuner, Sarkis sollicita Camille pour une entrevue en aparté, prétextant quelques détails à régler concernant l'achat de ses produits. Camille vit dans cet entretien improvisé l'occasion de réclamer le règlement d'un certain nombre d'impayés dont la somme avoisinait désormais les cinquante mille euros. Lorsqu'il s'en ouvrit à Sarkis, celui-ci lui tendit un ordre de virement de douze mille euros dont Camille ne se doutait pas qu'il puisse être faux.

«Désolé mon vieux, lui dit Sarkis. On ne m'avait pas prévenu de ces retards. La Caisse des dépôts nous a obligés à changer de banque principale. Il a fallu un peu de temps avant que tout se remette en place. Dès que j'ai pris connaissance des retards, j'ai demandé qu'on t'en règle une partie. Le reste va suivre rapidement, tu peux me faire confiance.

— Merci Raoul. Tu sais que je suis très heureux de participer à ce projet mais je ne suis pas tout seul dans l'histoire et les temps sont durs pour tout le monde.

— J'en ai conscience, crois-moi, et c'est pour cette raison que j'ai créé Le PaHo. C'est pour vous. Et c'est aussi pour cela que j'ai demandé à te voir ce matin. Je voulais te parler d'autre chose.

— Ah ? De quoi s'agit-il ?

— Ta coopérative, La Louve, et ton réseau de marchés, c'est une idée de génie. Tu es le seul paysan capable d'avoir une vision à ce niveau. C'est exactement ce que je souhaiterais créer comme satellite au Pavillon des Horizons. Mais c'est toi qui en as eu l'idée et, comme j'admire ton travail, je ne voudrais surtout pas te spolier ou te faire concurrence. Je voulais te proposer un partenariat. On entre au capital, ce qui te permet, dans un premier temps, d'avoir un peu d'air en trésorerie, et on investit en matériel, camions et structures, pour le dupliquer à Paris, dans plusieurs quartiers, et dans chacun de nos bassins de production. Qu'en penses-tu ? »

Camille était surpris par la rapidité de la proposition. Il avait déjà songé à cette possibilité sans trop vouloir y croire. Pour tout dire, il trouvait l'idée excellente. Elle validait son intuition. Grâce à cette association, il assurerait la croissance de La Louve en touchant un vaste public sans avoir à passer par les plates-formes logistiques et cimenterait un réseau de producteurs vertueux sur l'ensemble du territoire. Par ailleurs, l'argent apporté par Sarkis résolvait le problème de trésorerie auquel il était toujours confronté depuis qu'il avait refusé l'offre de son frère. Cette proposition était une aubaine inespérée.

«C'est une bonne idée. Il va falloir rééquilibrer la structure juridique dans laquelle La Ville aux Voies occupe une grande place pour la dupliquer tout en veillant à ce que les paysans du groupement ne soient pas lésés…

— Bien sûr. On va faire attention à tous ces détails qui sont hyper importants pour moi et on va surtout faire en sorte de ne pas t'embêter avec les formalités : tu as d'autres chats à fouetter. Jean-François et mes services juridiques vont s'en charger. Dès que je rentre à Paris, je travaille à une proposition et je te l'envoie rapidement. Je suis vraiment heureux de te connaître. Ensemble, on va faire quelque chose de grand», conclut Sarkis en prenant Camille dans ses bras.

L'expédition poitevine touchait à sa fin et tout le groupe quitta La Ville aux Voies pour regagner Paris. Au même moment, découvrant les journaux du matin qui relataient le périple champêtre de Raoul Sarkis aux côtés de Camille et de Ferrandier, Romain Vollot ne put cacher son agacement : «Ils sont en train de tout gâcher, ces imbéciles!» Il devinait que la présence de cet homme d'affaires ne présageait rien de bon et, pire, qu'elle sonnait sans doute la fin de ses illusions sur la création de Vollot Frères.

Quelques jours plus tard, Sarkis fit parvenir sa proposition d'association à Camille. Par ce pacte, sa holding Virtus devenait ainsi actionnaire de La Louve en rachetant un tiers des parts de Camille – qui en possédait soixante-quinze pour cent en tant qu'inventeur et fondateur de l'enseigne – en échange de deux cent mille euros, dont vingt pour cent versés à la signature, et du maintien d'un droit de veto égal pour chaque paysan associé.

Le contrat prévoyait à court terme le développement de filiales à Paris et dans chaque bassin de production. Pour compenser le passage de son idée sous la marque Le PaHo, Sarkis offrit à Camille de devenir actionnaire de toutes ces nouvelles sociétés à hauteur de trente-trois pour cent, les deux autres tiers étant partagés entre la holding de Sarkis et les paysans locaux impliqués. Il souhaitait ainsi que La Ville aux Voies devienne la référence de l'ensemble du réseau du Pavillon des Horizons et un lieu central de formation à l'agroforesterie et à la permaculture.

Pour simplifier les démarches, Sarkis proposa que l'entrée au capital des sociétés se fasse par équivalence d'apports matériels, évaluation concrète du rôle de «garant philosophique» alloué à Camille. Il fit donc évaluer tous ses biens fonciers et ses outils d'exploitation pour compléter le dossier en vue des démarches futures auprès des chambres d'agriculture et des tribunaux de commerce.

Camille étudia la proposition de Sarkis et la partagea avec les paysans associés de La Louve. Tous accueillirent la nouvelle avec enthousiasme. Malgré les mises en garde de Victoire et d'Anne-Marie, l'affaire se conclut rapidement chez le notaire de Sarkis.

Par ce coup de pouce du destin, Camille allait définitivement pouvoir damer le pion à Romain. Son travail était enfin récompensé. La Louve allait prendre une dimension nationale bien supérieure à celle qu'aurait pu prendre Vollot Frères tout en défendant une philosophie autrement plus positive. Lui, songeait-il avec fierté, ne se contentait pas de développer un héritage, il était prêt à sacrifier sa vie pour influencer le cours des choses et montrer la voie du changement à des milliers de personnes qui se trouvaient prisonnières de ce système obsolète contrôlé par des gens comme son frère aîné. Lui était juste et il était maintenant soulagé de constater que la pensée vertueuse qu'il défendait avec obstination depuis des années était sur le point de prendre le dessus – soulagé car il savait que seule cette pensée pouvait empêcher le monde de courir à sa perte.

Sa conviction était sincère et profonde. L'arrivée de Sarkis et la création du Pavillon des Horizons lui avaient redonné un peu d'espoir de voir le monde évoluer dans la direction qu'il avait choisie. Camille n'était pas dupe pour autant. Il était parfaitement conscient que son sacerdoce n'était qu'une goutte d'eau, que seul l'argent comptait, que de tous côtés, via la City, Wall Street ou les places boursières asiatiques, il fuyait par des millions de pores pour satisfaire aux desseins égoïstes de quelques personnes, animées par les sempiternels délires prométhéens – s'extraire du temps et de l'espace, vivre plus longtemps dans des endroits hors du commun – et apocalyptiques.

Depuis son plus jeune âge, dans tous les livres, dans toutes les histoires qu'on lui racontait, Camille s'était toujours étonné de constater que la recherche de la vie éternelle comptait parmi les premières démonstrations de l'ambition. Les hommes obsédés par le pouvoir ne cherchaient qu'à se prolonger le plus longtemps possible, un désir que les religions n'avaient eu qu'à canaliser en organisant des sociétés fondées sur l'héritage, sa représentation symbolique.

Dans les pays où l'on ne parvenait pas à ce compromis politique et religieux garant de la paix sociale, la volonté de pouvoir s'exprimait par la violence de premier degré faite aux hommes – le vol, le meurtre, la torture – et à la nature, notamment les arbres, expressions placides de la vie, incarnant le temps long et l'humilité, qu'on abattait sans vergogne jusqu'à l'extinction de la civilisation présente sur le territoire, ce qui s'était passé sur l'île de Pâques et menaçait bientôt de se produire en Chine et au Brésil. À certains endroits de la planète, eu égard à la façon dont il était abattu sans vergogne pour planter du soja ou construire des ensembles industriels, l'arbre semblait traité comme un ennemi de l'humanité alors qu'il aurait dû l'inspirer, en devenir le seul garant et l'aboutissement ultime.

Aveuglé par ses ambitions démiurgiques, l'homme persistait dans son refus de s'élever spirituellement et propageait sa terreur à l'horizontale, transformant le monde en de mornes plaines au gré de ses caprices. On estimait que, depuis quarante ans, un tiers des terres arables avait disparu de la surface du globe et que le ravage continuait à la vitesse d'un département français tous les sept ans. Les ressources de la planète touchaient désormais à leur fin, épuisées par l'avidité sans limites de ses occupants qui, plutôt que de se reprendre en main, oscillaient désormais entre la folie eschatologique – terreur religieuse et autres fanatismes suicidaires – et l'utopie absurde du dépassement de l'histoire par l'échappée spatiale qu'alimentaient le survivalisme et la course aux étoiles des géants milliardaires de la Silicon Valley relayée par les superproductions hollywoodiennes comme *Interstellar*.

Pour Camille, tout cela n'avait aucun sens, l'homme devait conquérir sa liberté ici, les deux pieds sur le sol.

IV

SERMENT

La conférence de rédaction touchait à sa fin. Les chefs de rubrique avaient discuté de la majorité des sujets avec leurs journalistes et donné leur aval aux plus urgents en fonction de l'actualité. Un doute subsistait cependant dans l'esprit d'un rédacteur en chef quant à la légitimité d'un article à figurer dans les pages économiques du quotidien. Il s'en ouvrit au journaliste :

«Hakim, je voulais voir un truc avec toi. Rien ne presse mais j'ai vu dans ton dernier mail que tu m'avais proposé une enquête sur Le Pavillon des Horizons? C'est le nouveau passage utopiste qui doit ouvrir dans le Ier? Qu'est-ce que ça viendrait faire en éco? Primo, c'est un projet très parisien et je ne pense pas que nos lecteurs du Mans ou de Nevers s'y intéressent beaucoup. Deusio, c'est plutôt un sujet pour le magazine, non? Pourquoi tu ne le proposes pas à Sophie et Olivier?

— Sur le fond, tu as totalement raison, mais je voudrais l'aborder sous un angle économique.

Tous les articles de magazines que j'ai lus à ce sujet en font un gadget en plus dans le paysage de l'art de vivre parisien. Ils ne parlent que d'art contemporain et de la prétendue fortune de Raoul Sarkis, celui qui a inventé le concept. En réalité, c'est un projet qui est censé toucher toute la France puisqu'il réunit des centaines de producteurs dans tout le pays. Et surtout, pas un seul de ces canards n'a cherché à savoir si les millions de Sarkis existent réellement ni d'où ils viennent et surtout si le projet est viable en termes économiques. On parle quand même de trente ou quarante millions d'euros, de centaines de personnes salariées et de cautions de plusieurs grandes banques.

— Comment tu en es venu à t'intéresser à ce truc ?

— Par hasard. Je l'ai croisé récemment alors qu'il dînait chez Castel avec Blumenfeld, Babilée, Duras et Rousselet, qui sont quand même de gros poissons. J'étais étonné de voir ce type sorti de nulle part en leur compagnie. J'ai commencé à fouiller mais je ne trouve rien sur lui, et son projet m'a l'air très bordélique. C'est pour cette raison que je t'ai proposé le sujet. Je ne sais pas s'il y aura quelque chose au bout mais je voulais avoir ton aval pour aller un peu plus loin.

— OK, on verra bien ce que tu trouves. Tu peux me faire quelque chose pour le début du mois prochain ? On décidera à ce moment-là. »

Accrédité par son rédacteur en chef, Hakim Khalil commença par appeler le service de presse de Raoul Sarkis pour demander une entrevue, qu'il obtint aisément pour la fin de semaine suivante, et se mit au travail.

Il alerta ses réseaux habituels, rien, enquêta auprès de certaines sources de la City et de Wall Street, rien, contacta plusieurs de ses confrères de quotidiens étrangers pour savoir s'ils connaissaient un certain Raoul Sarkis et s'ils avaient eu vent d'activités anciennes, notamment en Pologne ou dans d'autres pays de l'Est, en Chine, en Russie, qui auraient pu expliquer sa fortune, rien, il fouilla les archives du registre du commerce, rien, les sites économiques, rien : pas la moindre trace de Raoul Sarkis hormis dans la trentaine de sociétés qui constituaient la nébuleuse du Pavillon des Horizons. Personne ne le connaissait.

En dix ans de carrière, Hakim avait appris à se méfier des hommes sans passé. Il savait en tout cas que les millionnaires invisibles n'existaient pas, encore moins les milliardaires. Si Sarkis n'avait aucune chance de posséder la fortune qu'il prétendait avoir, c'est donc qu'il était au minimum un menteur, et qu'il n'en était peut-être pas à son coup d'essai.

Aussi décida-t-il de consulter les archives des tribunaux de Varsovie. Il fit une demande de vérification auprès du greffe. On lui répondit quelques jours plus tard qu'un dénommé Raoul Sarkis avait été condamné en 2005 à verser plus de un million d'euros de dédommagements à Steve Le Braech, un ancien attaquant du Paris

Saint-Germain dont Hakim se demandait ce qu'il pouvait bien faire dans cette histoire.

Contacté par téléphone, Le Braech lui confirma dans un soupir qu'il s'agissait bien du même Sarkis. Il lui expliqua qu'à la fin de sa carrière, en 2001, il avait accepté un dernier contrat d'une saison au Legia Varsovie. C'est à cette époque qu'il avait rencontré Raoul Sarkis dans les milieux d'expatriés.

«Il était très sympa. On s'entendait bien et on sortait souvent ensemble. Il m'a même aidé à placer mon argent. On a fait deux ou trois coups immobiliers. Rien d'exceptionnel. Un jour, il m'a parlé de son oncle, un certain Demetrios, qui faisait des affaires dans le pétrole en Azerbaïdjan. Il m'a proposé de mettre des billes en m'assurant qu'en un ou deux ans je ferais une belle culbute.»

Sarkis lui avait alors «emprunté» huit cent mille euros en plusieurs fois pour les investir dans les affaires de son oncle. Dans un premier temps, il ne s'en était pas vraiment soucié. La saison terminée, Steve Le Braech était rentré en France avec l'assurance de Sarkis de revoir son argent l'année suivante.

«Et puis, je ne sais pas pourquoi, j'ai commencé à avoir un mauvais pressentiment. Chaque fois que je téléphonais à Sarkis, il me disait que l'argent allait arriver, que l'Azerbaïdjan était un pays compliqué mais que tout était *safe*. Un jour, c'est lui qui m'a appelé pour me dire que son oncle avait disparu, qu'il avait été assassiné par la mafia mais qu'il allait faire tout son possible pour récupérer l'argent. Tu parles, en faisant vérifier tous les contrats par mon avocat, je me suis surtout aperçu que les sociétés dans lesquelles j'avais investi n'avaient jamais été créées et que les bilans et les statuts que m'avait donnés Sarkis étaient faux. Je ne suis même pas certain que son oncle ait vraiment existé ! Bref, je me suis fait entuber bien comme il faut. J'ai porté plainte pour l'honneur mais je savais que je pouvais m'asseoir sur mon argent… »

C'était pour lui de l'histoire ancienne et il préférait ne pas témoigner mais il était ravi que quelqu'un s'occupe enfin du cas de ce Sarkis qu'il avait, chaque jour depuis plusieurs mois, la désagréable surprise de voir gesticuler dans un nouveau magazine.

C'était mince mais cette histoire confirmait l'intuition de Hakim : Sarkis était probablement un imposteur. Encore fallait-il pouvoir apporter d'autres preuves.

En interrogeant divers prestataires liés au développement du PaHo, il réussit à récolter de nombreuses confessions sous le sceau de la confidentialité. La liste était longue mais Hakim savait que, comme souvent dans les cas d'imposture, ils seraient peu nombreux à accepter de témoigner à visage découvert, craignant des représailles, préférant ne pas déstabiliser l'édifice et garder l'espoir de récupérer quelques euros plutôt que d'avoir la certitude de tout perdre ou redoutant la blessure d'amour-propre que ne manquerait pas de générer l'exposition de leur naïveté aux yeux de tous. Un nom cependant revenait souvent dans ces témoignages, celui d'un homme asiatique proche de Sarkis, surnommé Jin. Personne ne comprenait vraiment son rôle mais tous soulignaient son importance. Une de ses sources bien introduites dans la communauté chinoise de Paris connaissait en effet M. Jin, comme tout le monde, fit-il remarquer, tout en précisant que c'était un homme tout à fait respectable.

Hakim n'en apprit pas plus mais la présence des réseaux chinois dans cette affaire la rendait encore plus trouble.

Après deux semaines d'enquête, Hakim n'avait plus aucun doute quant à la malhonnêteté de Sarkis, mais sa marge de manœuvre était limitée. L'entretien approchait et il allait devoir jouer serré.

Lorsque Julia frappa à la porte de son bureau pour lui annoncer l'arrivée de Hakim Khalil, le journaliste venu l'interviewer, il dut faire un effort pour se souvenir de quoi il s'agissait. *Encore un imbécile qui vient me cirer les pompes pour essayer de se faire embaucher.* Il sniffa le reste d'une ligne de coke qui patientait sur son bureau et s'enfonça dans son fauteuil en fermant les yeux : « Vas-y, tu peux lui dire de venir. » Il se leva à l'entrée du jeune homme et s'avança vers lui avec un grand sourire :

« Hakim ! Vous êtes algérien ? Ma grand-mère était algérienne. J'ai grandi à Alger. (Il mentait évidemment : il n'y avait jamais mis les pieds.) Même si je n'y ai pas vécu longtemps – les affectations de mon père, les voyages, tu comprends –, l'Algérie est restée mon pays de cœur. C'est toujours un plaisir de recevoir un frère. On peut se tutoyer ? Je te sers quelque chose à boire ? Thé ? Café ? Eau ? Assieds-toi, je t'en prie. Qu'est-ce que je peux faire pour toi ? »

Hakim en avait vu d'autres. L'entrée en matière de Sarkis le fit sourire :

« Ne vous donnez pas la peine de jouer sur la fibre patriotique, monsieur Sarkis, je suis né à Mantes-la-Jolie. En plus, je suis homosexuel et une partie de ma famille est juive. Autant dire que je ne suis pas forcément le bienvenu dans notre cher "pays de cœur", comme vous dites. Aucune importance, ce n'est pas le propos. Je suis venu pour vous interviewer au sujet du Pavillon des Horizons, ce beau projet dont tout le monde parle.

— À ton service. »

Hakim l'interrogea sur la genèse de l'idée, son modèle économique, ses motivations personnelles. Sarkis, comme à son habitude, déroula son argumentaire : sa passion pour l'art, la désertification des centres-villes, l'état catastrophique de l'agriculture en France, la nécessité d'agir, la flamme qui l'habitait, l'importance de ces commerces au cœur de la ville pour recréer de l'échange entre les gens et propager l'émotion que généraient les artistes évidemment mais aussi, par leur travail vertueux, des centaines de paysans comme Camille Vollot et tous ceux de La Louve et du Pays basque et de Normandie et du fin fond des Pyrénées car cette émotion, c'était elle, justement, qui allait faire changer le monde.

« Mon modèle économique ? Pour les légumes, tu veux dire ? Enfin, la bouffe. C'est le *B to B*. Je vais te donner un exemple un peu simpliste mais qui te permettra de comprendre. Si j'achète mes carottes chez un grossiste, je vais payer deux euros cinquante le kilo et le producteur touchera un euro vingt. Ce que je souhaite aujourd'hui, c'est acheter toute la production de mon maraîcher sans intermédiaire à un euro quatre-vingts et tout le monde y gagne. Je n'aurai économisé que soixante-dix centimes mais mon business fonctionne parce que, même si je fais moins de marge en vente *B to C* dans mes magasins, je vais gagner en *B to B* en me vendant à moi ces mêmes carottes qui seront toujours moins chères que chez le grossiste. Et meilleures! Ce que je perds d'un côté, je le regagne de l'autre et mes pôles s'équilibrent.

— Admettons, mais il faudrait que l'intégralité du Pavillon fonctionne simultanément, et pour cela il faudrait créer cette immense machine de toutes pièces. C'est une dépense qui avoisine les cinquante millions d'euros, au bas mot. Avec quel argent? Quel intérêt avez-vous à faire une chose pareille?»

Lui ne voulait rien, seulement laisser une trace. Pour cela, il était prêt à dépenser tout son argent. Cet argent gagné par milliards dans des opérations financières de grande envergure en Pologne et dans les pays Baltes.

«Lesquelles par exemple? Ce ne serait pas le pétrole, plutôt?»

Raoul Sarkis marqua une pause. Ce journaliste avait plus de répondant que ceux qu'il avait l'habitude de côtoyer et d'inviter dans ses restaurants. Où voulait-il en venir? De toute façon, il n'irait pas chercher plus loin que les autres.

«Le pétrole? Non. Où allez-vous chercher ça? C'était à l'époque où je travaillais beaucoup avec Goldman Sachs. L'Union européenne partait à la conquête de l'Est, secondée par les grandes banques internationales.

— Ah oui? En quelle année?

— À la fin des années 1990. J'ai réussi à me placer sur quelques coups. De grands ensembles de bureaux, notamment. Je préfère ne pas trop en parler. C'est de l'histoire ancienne et je ne suis pas forcément très fier de l'homme que j'étais. À l'époque, j'étais un tueur dans les affaires. Un tueur toujours dans la légalité, hein, mais bien égoïste, je dois l'admettre. Aujourd'hui, il n'y a que la générosité qui compte pour moi : c'est essentiel. C'est pour cela que je serai bientôt rejoint par de nombreux amis comme Samuel Blumenfeld et Hervé Babilée, que vous connaissez sans doute de réputation. Tout le monde est avec nous. Des gens de tout bord me sollicitent. La partie la plus difficile est de satisfaire tout le monde. Les gens peuvent parfois émettre des doutes car, pour l'instant, Le PaHo n'est que parcellaire, mais il y a un guide, un phare, une lumière, et je l'ai au-dessus de la tête. Je sais où je vais et je dois montrer la voie aux gens qui me suivent et croient en ce projet. Tu sais, mon cher Hakim, il n'y a rien qui demande plus d'énergie que de vouloir faire rompre les gens avec leurs mauvaises habitudes et de leur donner la foi pour se dépasser.

— *Les Christ inférieurs des obscures espérances...*

— Pardon ?

— Oh, rien, je pensais à un poème d'Apollinaire. Monsieur Sarkis, j'ai eu l'occasion de discuter avec certains de vos prestataires qui se plaignent de factures en souffrance. »

Pour la première fois depuis le début de l'entretien, Hakim sentit Sarkis se crisper. S'il ne perdait rien de son calme, quelque chose dans ses yeux trahissait son agacement. Hakim savait qu'il était sur la bonne voie.

« Ils mentent. Il y a peut-être eu quelques retards de paiement mais quelle entreprise n'en a pas ? À ma connaissance, tout est en ordre. Tu sais, la mythomanie, c'est un truc de fou. On ne peut rien faire contre un menteur. On n'a que sa parole contre la sienne.

— Diriez-vous que Steve Le Braech est aussi un menteur lorsqu'il affirme que vous lui avez volé près de un million d'euros ? »

Hakim regarda Sarkis droit dans les yeux et remarqua que le contour de sa bouche était agité de tics nerveux.

« Je ne vois pas ce que cela vient faire dans cet entretien. Je ne connais pas ce Steve Le Braech. Je ne sais pas qui t'a raconté cette histoire mais je tombe des nues. On nage dans la diffamation pure et dure, attention ! Si tu publies des choses pareilles, j'espère que ton journal possède un bon service juridique. À l'évidence, nous n'en arriverons pas là. Je suis navré, cher Hakim, mon rendez-vous suivant est arrivé, conclut Sarkis en se levant. Je vais malheureusement devoir écourter cette rencontre qui était très agréable. Je parle beaucoup – trop ! –, mais le plus important est ce qui se passe autour du Pavillon, l'ambiance dans les restaurants. Il faudra venir nous voir. Viens dîner un soir avec des amis chez Bam ou Kataki, vous êtes mes invités.

— Merci pour l'invitation, monsieur Sarkis, mais je sors peu, lui répondit Hakim en se levant. J'avais une dernière question concernant un certain Chu-Jung Zhao, surnommé Jin. Ne seraient-ce pas vos liens avec la mafia chinoise qui expliqueraient votre départ pour la Pologne au milieu des années 90 ? »

Cette dernière pique fit sortir Sarkis de ses gonds. Il perdit tout sens de la précaution :

« Écoute-moi bien, petit fouille-merde, là, on a dépassé le stade de la diffamation. Quand on avance des choses pareilles, on apporte des preuves. Où sont-elles ? Alors, maintenant, tu prends tes affaires et tu dégages. Et que je n'entende plus parler de toi sinon je t'écrase comme une punaise avant même que tu ne commences ta carrière de scribouillard frustré. »

Une fois dans la rue, Hakim était aux anges. Il avait tenté un énorme coup de bluff et il avait visé juste. Il ne pourrait écrire de telles insinuations mais il savait désormais que la piste de ce M. Zhao était sérieuse.

Deux jours plus tard, au terme d'un article déroulant un inventaire de malversations digne d'une série B américaine, détaillant point par point quelques-uns des meilleurs mensonges de Sarkis et laissant deviner ce qui ressemblait à une pyramide de Ponzi, Hakim ponctuait son article d'une phrase qui le fit sourire : « En réhabilitant l'antique fabrique de cire Trudon, Raoul Sarkis s'est rêvé en Louis XV de l'art et de la gastronomie. Qu'il se méfie, son Pavillon, si optimiste soit-il, pourrait bien finir vendu à la bougie. »

Son papier allait faire l'effet d'une bombe. Toutes les banques impliquées – près d'une dizaine – et qui, après avoir laissé la situation dégénérer, essayaient de gagner du temps pour que le château ne s'écroule pas dans l'espoir de récupérer quelques billes n'allaient plus pouvoir faire barrage aux enquêtes du fisc et de la brigade financière. L'édifice allait inexorablement s'écrouler jusqu'à la liquidation. Combien de temps cela prendrait-il ? Plusieurs mois sans doute, voire plusieurs années, mais le résultat serait forcément pathétique. Quel formidable tableau ce «grand projet humaniste» n'allait-il pas offrir? Celui d'un immense gâchis finalement épongé par la communauté qu'il prétendait servir et qui se trouverait obligée de payer les indemnités de licenciement et le chômage de dizaines de personnes embauchées à des salaires mirobolants.

Hakim le savait, le seul argent véritable dans ces histoires d'escroquerie était celui des contribuables. Les banques, responsables de ce genre de désastres, s'en tiraient toujours à bon compte. Tous les projets alternatifs et utopistes qui naissaient en réponse à une déception vis-à-vis de l'État et de sa capacité à innover terminaient ainsi : remboursés par l'argent public. Combien de personnes lésées – prestataires indépendants, paysans – le seraient ainsi doublement en payant des impôts qui rembourseraient des sommes que Sarkis leur avait déjà volées sur le fruit de leur travail?

Sans courage politique, les vieilles sociétés occidentales laissaient prospérer en leur sein de gigantesques machines percluses d'arthrose, inadaptées à tout changement d'époque et d'enjeux, qui se fissuraient de partout et ne pouvaient survivre qu'en générant des crises de plus en plus fréquentes. Durant ces périodes, les impostures, comme les mouvements sectaires, devenaient aussi inévitables que les histoires d'amour déçues, et il y aurait toujours des dizaines de Sarkis pour manipuler ce besoin irrépressible qu'ont les gens de reporter leur confiance, de croire en quelque chose de juste. Bien qu'aussi anecdotique que ses combines, Sarkis n'en était pas moins un signe du temps, une illusion, une tentation et surtout le symptôme inquiétant d'une société en perte d'équilibre et de plus en plus désaxée.

En envoyant son message à son rédacteur en chef, impatient de découvrir les résultats de son enquête, il lui demanda comme faveur – elle lui fut accordée – de repousser la parution d'une semaine car il avait encore «quelque chose à faire».

Le GPS indiqua Montfort-sur-Sèvre sur la droite. Une longue descente puis on atteignait la rivière. D'un côté, en contrebas, les potagers tirés au cordeau face à une vaste prairie bordée d'immenses peupliers scandant la première vue sur le clocher de la basilique, de l'autre, des maisons basses devant lesquelles patientaient les voitures. Au rond-point flanqué d'un petit supermarché, la voix féminine conseilla de prendre la première sortie, de s'engager sur l'avenue Rémi-René-Bazin, de traverser le pont et de continuer tout droit – deuxième rond-point, l'esplanade du pensionnat Saint-Gabriel – vers la rue du Calvaire, artère déserte égrainant une boulangerie, un restaurant de burgers, une pharmacie, le bar-restaurant Le Skippy, un bureau de tabac et la caserne des pompiers, postée comme un défi face au monument aux morts, puis de prendre à droite, rue de la Montforterie, de passer entre les deux étangs, de traverser le bois de la Barbinière, de laisser le lotissement sur la gauche, avant de bifurquer sur la route de la gare, de passer la voie ferrée et enfin le «Monte-Vite».

Il était 17 heures mais, par cette fin de journée pluvieuse, l'obscurité tombait déjà sur La Ville aux Voies lorsque Camille, qui aidait Jeanne et Esther à faire leurs devoirs en épluchant des légumes pour le dîner du soir, entendit une voiture se garer dans la cour. Cette arrivée le surprit car il n'attendait pas de visite. Sans doute un ami qui passait à l'improviste, pensa-t-il. Quelques secondes plus tard, il ouvrait la porte à un parfait inconnu.

«Bonsoir, vous êtes sans doute Camille Vollot? Je m'appelle Hakim Khalil, je suis journaliste. Je suis désolé de vous déranger si tard mais je travaille actuellement à un article sur Le Pavillon des Horizons et j'aurais voulu m'entretenir avec vous à ce sujet.

— Effectivement, il est un peu tard. Vous auriez pu me prévenir surtout. Je vous reçois comme ça, vous m'excuserez, je suis en train de faire la cuisine avec mes filles. Entrez.»

La pièce où pénétra Hakim était agréable. La cuisine était au fond, simplement séparée de la salle à manger par un meuble bas où Camille venait de poser son plateau de légumes. Hakim prit place avec Jeanne et Esther autour de la grande table, couverte de feuilles coloriées et de crayons.

«Les filles, vous pouvez aller jouer dans votre chambre? Papa doit discuter un peu avec le monsieur.»

Camille laissa passer quelques secondes, le temps que la porte qui menait à l'escalier se referme, et continua :

«Alors, dites-moi tout. Que voulez-vous savoir sur Le Pavillon des Horizons? En quoi puis-je vous aider?

— Voilà plusieurs semaines maintenant que je travaille sur le sujet et, au cours de mon enquête, j'ai pu découvrir qu'en plus de l'exploitation de cette ferme vous avez créé une coopérative avec d'autres paysans de la région et un réseau de marchés, c'est exact?

— Oui, La Louve.

— Et cette coopérative est entrée en association avec Le PaHo de Raoul Sarkis…

— En effet. Disons que c'est un échange de bons procédés. Nos philosophies sont très proches. Il était de toute façon question que nos fermes alimentent Le Pavillon mais Raoul souhaitait renforcer son engagement en faveur de l'agriculture vertueuse en créant un réseau de marchés dans les bassins de production pour ne pas rester uniquement parisien. Pour nous, c'était aussi une belle opportunité de développement. Comme nous restons en dehors des circuits de la grande distribution, nous sommes obligés de trouver sans arrêt de nouveaux débouchés fiables et surtout récurrents.»

Hakim ne savait pas trop comment aborder le sujet. Camille lui était fort sympathique et son rôle de Cassandre lui coûtait :

«Écoutez, monsieur Vollot, je suis venu vous

voir car je crains que cette association ne vous mette en grand danger.»

Camille regarda son hôte en fronçant les sourcils. Hakim continua :

«Voilà. J'ai eu accès à des informations concernant Raoul Sarkis qui ont fait naître la conviction, même si cela ne reste que mon avis, que cet homme est un imposteur et qu'il n'en est pas à son coup d'essai. C'est justement le sujet de mon article qui va paraître la semaine prochaine.»

Camille l'écouta attentivement détailler la liste de toutes les entourloupes de Sarkis qu'il avait réussi à mettre au jour et de toutes les victimes, dont le nombre, il le craignait, n'allait cesser d'augmenter.

«C'est gentil de me prévenir mais, vous savez, même si La Louve est une structure récente, elle est plutôt solide. Nous n'avons pas besoin du PaHo pour exister. D'autant que le projet de Raoul est autrement plus vaste que la seule vente de légumes! C'est un véritable centre culturel. Notre association vise plutôt à préparer le développement futur d'un réseau de vente. Alors, même si ce que vous me racontez est vrai – ce qui serait dommage car le projet est beau –, nous n'en subirons aucune conséquence. Je ne veux pas mettre en cause votre travail mais je crois surtout que la réussite de Raoul Sarkis fait beaucoup de jaloux…

— Si vous le dites. Vous avez sans doute raison. Je tenais juste à vous prévenir.»

Hakim commençait à rassembler ses affaires, comme s'il s'apprêtait à partir. Camille l'arrêta :

« Il y a quelque chose que je ne comprends pas. Pourquoi vous êtes-vous déplacé jusqu'ici ? Si ce n'était pas pour visiter la ferme ou la coopérative, un coup de fil aurait suffi.

— C'est vrai. Mais il y a longtemps que je voulais venir à Montfort pour vous rencontrer. J'étais un ami d'Antoine. »

À l'évocation de son frère, Camille se figea. Il avait déjà oublié tout ce que lui avait raconté Hakim à propos de Sarkis.

« Nous étions ensemble en hypokhâgne à Lamartine. Nous avons été très proches l'un de l'autre. Son suicide nous a d'abord été caché par la direction du lycée. Lorsque j'ai compris qu'il ne reviendrait plus, il était trop tard. Alors, j'ai enfoui son souvenir. Il m'a fallu attendre toutes ces années, que votre nom – son nom ! – apparaisse dans mon enquête, pour que je trouve la force de venir. »

Victoire, qui travaillait dans son bureau jusqu'alors, venait d'entrer dans la pièce. Elle se tenait face à Hakim qui la salua :

« Vous êtes aussi belle que ce que me disait Antoine. »

Il sortit de sa poche une enveloppe jaunie qu'il fit glisser jusqu'à Camille.

« C'est tout ce qu'il me reste de lui. Il me l'avait envoyée d'ici lorsqu'il était venu passer les vacances de Noël, quelques mois avant sa mort. »

Sur l'enveloppe, Camille reconnut l'écriture de

son frère : «Hakim Khalil, 12 rue de l'Orillon, 75011 Paris».

«À cette époque, il était déjà exténué par le rythme de la prépa et très déprimé. Les profs ne lui faisaient aucun cadeau. Lui qui était si intelligent n'arrivait pas à se conformer à leurs exigences parfois exagérées. Il le vivait comme un échec. Allez-y, vous pouvez lire. Il parle de vous deux.»

Victoire s'approcha pendant que Camille dépliait délicatement la feuille A4 devant eux.

«Mon bel Hakim,

Je suis bien arrivé dans ma ville sainte. Je ne pouvais pas rêver mieux pour me reposer un peu entre deux versions de Pline et les analyses des *Illustres Françaises*. Challe, quel rasoir !

Mes parents sont adorables et j'ai retrouvé mes deux frères, toujours à se chercher des noises ! Toi qui connais parfaitement l'histoire d'Abraham, tu sais que chaque frère est un défi pour les autres.

Le grand, Romain, n'est pas très original mais il a la tête sur les épaules et c'est important. Camille est complètement perché. Il est drôle mais c'est un bébé qui ne comprend rien à la vie. Heureusement, il a Victoire. Ah, Victoire ! Je crois que c'est la plus belle fille du monde. Tu as de la chance qu'elle ne soit pas tombée sur moi : face à elle, tu n'aurais même pas existé !

Ils sont tous aux petits soins avec moi et leur présence me fait du bien même si je ne suis pas vraiment d'humeur. Il faudra que tu les rencontres un jour et que tu viennes te promener avec nous dans les bois du château de la Barbinière.

Tu me manques, mon bel Hakim, et j'ai hâte de te retrouver pour une nouvelle année – meilleure que la précédente.

Je t'embrasse tendrement,
Antoine»

Camille demeurait silencieux. Il ne savait pas quoi faire. Pleurer ? Crier ? Sourire ? La lumière qui émanait de cette lettre le désarmait. Il lui semblait qu'une coquille autour de lui venait de se fissurer.

Hakim s'était levé pour partir. Victoire lui proposa de rester pour dîner et de passer la nuit à La Ville aux Voies mais il déclina l'invitation. Juste avant qu'il ne passe la porte pour rejoindre sa voiture, Camille lui tendit l'enveloppe pour qu'il la reprenne mais le jeune homme la repoussa d'un geste de la main :

«Gardez-la. Vous la donnerez à Romain.»

L'article de Hakim Khalil parut à la fin du mois. Dans un premier temps, Sarkis ne mesura pas l'ampleur de l'onde de choc, certain qu'un seul article ne suffirait pas à ternir les éloges accumulés par les centaines qui l'avaient précédé. Il se trompait lourdement.

La publication de l'enquête confirma les rumeurs qui circulaient dans le milieu des affaires depuis déjà plusieurs mois. Les personnalités sérieuses, agacées depuis longtemps par les fausses pièces comptables et les bilans trafiqués dont Sarkis agrémentait chaque dossier de financement, cessèrent progressivement les tractations.

Les établissements bancaires se mirent en quête des coupables incompétents, directeurs d'agence ou courtiers, qui avaient pu laisser se développer une telle gabegie.

Sarkis, lui, n'avait aucune crainte. Pour avoir déjà vécu la situation plusieurs fois, il savait qu'il avait encore du temps devant lui et surtout qu'il ne fallait rien laisser paraître. De toute façon, outre son expérience des situations périlleuses, sa mythomanie suffisait à le tenir hors de portée de la réalité. Il répétait à qui voulait l'entendre que tout cela n'était que mensonges ridicules et diffamations – il assurait d'ailleurs avoir porté plainte – distillés par l'un des propriétaires du journal qui avait fait des pieds et des mains pour entrer au capital du PaHo et qu'il avait éconduit – qu'il s'agissait, en somme, d'une ridicule et banale vengeance. Et dans un premier temps, l'ouragan passa, en effet.

Quelques jours plus tard, lorsqu'il vit le numéro de Camille s'afficher sur son téléphone, il décrocha comme si de rien n'était.

«Allô, Raoul. C'est Camille. Camille Vollot. Tu vas bien ? Tu tiens le coup ? Incroyable cet article. Qu'est-ce qui se passe ?

— Bonjour Camille. Je vais très bien, merci. Ne t'inquiète pas, ce sont des broutilles. Des manigances de gens jaloux. Je ne sais pas d'où ils sortent cette histoire de footballeur. Steve Le Braech ! Non mais, on rêve ! On nage en plein n'importe quoi. Quant aux autres, pfff… Guitton, Vacher, Meissonnier… des frustrés qui voudraient bien faire encore partie de l'aventure. Les chiens aboient, la caravane passe, mon cher.

— Si tu le dis. Je voulais te parler d'autre chose. Ici, les gars commencent un peu à râler. On a quelques impayés qui traînent. Le virement que tu m'avais promis l'autre jour n'est jamais arrivé. J'ai renvoyé les factures à Jean-François mais il ne répond plus à mes appels.

— On est un peu sous l'eau en ce moment. Pour le virement, c'est la banque qui a déconné. Ces imbéciles se sont mélangé les pinceaux à cause d'un numéro de SIRET. Je l'ai relancée. Envoie-moi tes factures directement, je vais m'en occuper.

— Il faut vraiment, sinon je ne pourrai pas fournir Le Nain jaune en début de semaine prochaine comme Lorenzo me l'a demandé ce matin.

— Promis, considère que c'est fait. Pour le reste, ne t'en fais pas, on tient le planning qu'on s'est fixé. Tu devrais bientôt recevoir les deux cent mille euros pour La Louve, ce qui va te donner un peu d'air. Mes équipes ont déjà commencé à travailler sur le développement même si, pour le moment, Le Pavillon les accapare totalement. Il faut que tu passes voir les lieux un jour avec Victoire et les enfants.

— Je n'y manquerai pas mais, là, je n'ai pas une minute. J'ai vu passer plusieurs articles avec des images de la manufacture. C'est absolument magnifique. Le lieu est fou. Tu as vraiment eu une idée de génie d'en faire une grande halle culturelle et gastronomique.

— Et crois-moi, Camille, tu n'es pas encore au bout de tes surprises. Passe de bonnes fêtes en famille. L'année prochaine sera exceptionnelle. À très vite. »

Comme un retour de flamme, la situation s'amplifia après la période des fêtes. Si ses plus proches collaborateurs comme Julia et Jean-François, maintenus dans ce qui s'apparentait à un état de terreur psychologique, semblaient contraints de demeurer auprès de lui, les fondateurs historiques du Pavillon des Horizons qui lui étaient restés fidèles envers et contre tout finirent par le lâcher ; même Nicquesson, répudié.

Les langues se délièrent peu à peu et tous les magazines qui avaient porté Sarkis aux nues finirent par retourner leur veste. Pour tous ces leaders d'opinion, Sarkis le nouveau Gatsby se changea bientôt en un Saccard pathétique.

Sur les réseaux sociaux, le phénomène connut pourtant l'effet inverse. Étrange paradoxe que celui de la chute : à peine Paris l'avait-il condamné que Sarkis se retrouvait partout ailleurs au sommet de sa gloire.

Alors que, dans les magazines et les dîners, les uns puis les autres dénonçaient l'imposture de

Sarkis, l'engouement gagnait les sphères moins directement impliquées, notamment en province et à l'étranger, qui découvraient le projet avec enthousiasme.

Alors que les courriers d'huissiers se faisaient chaque jour plus nombreux, son nom était régulièrement cité dans les grands médias nationaux.

Alors qu'il ne faisait aucun doute qu'il serait incessamment expulsé de ses bureaux des Champs-Élysées et qu'il verrait son mobilier – qu'il n'avait pas plus payé que son loyer – saisi *manu militari*, il était régulièrement félicité pour son audace et son courage d'entrepreneur par quelques responsables institutionnels.

La voie d'eau s'élargissait. Le naufrage semblait inéluctable. Sarkis allait devoir réviser sa copie, restructurer son système de sociétés, affronter quelques liquidations, mais il gardait le cap : son Pavillon verrait le jour.

Ce n'est qu'au début du mois de mars que Camille, de plus en plus dubitatif sur les bienfaits de son association avec Sarkis, perçut les premiers signes de la catastrophe que lui avait prédite Hakim.

La directrice des marchés de La Louve lui signala que tous les chèques libellés pour le règlement des salaires des huit employés – désormais centralisés par les services comptables de Sarkis – avaient été refusés. L'incident était d'autant plus étonnant que, dix jours auparavant, Sarkis l'avait appelé pour lui signaler qu'il allait procéder à un transfert d'argent, celui des deux cent mille euros du rachat des parts en apport de trésorerie.

Il pensa d'abord à une erreur et tenta de joindre Sarkis, en vain. Il finit par parler à Jean-François qui tenta de le rassurer :

« Bien sûr que le compte est largement créditeur. C'est une erreur de mon assistant qui avait émis les chèques d'un carnet sur lequel nous avions dû faire opposition pour vol. J'ai reçu le nouveau aujourd'hui et je viens de refaire tous les salaires. Mille excuses, Camille…

— Vous n'êtes pas sérieux. Entre les impayés et les histoires de banques, cela commence à faire beaucoup. Ces gens ont travaillé et vont recevoir leurs salaires avec dix jours de retard, ce n'est pas normal. Si vous n'êtes pas capables d'assurer, je vais revoir l'organisation avec Raoul pour que nous reprenions la comptabilité en main. Vos histoires commencent vraiment à me saouler.

— Je comprends et je suis sincèrement désolé. Ne t'en fais pas, ce sont de petits problèmes d'ajustement, mais désormais tout va bien se passer. Fais-moi confiance.»

Après avoir raccroché, Jean-François lui envoya le scan des chèques qu'il venait de libeller et la capture d'écran d'un relevé bancaire du compte de La Louve, largement excédentaire. Passé cet incident, les choses reprirent leur cours normal jusqu'à l'été et, bien que devenu plus méfiant, Camille n'eut pas à se plaindre de nouvelles anicroches.

À Paris, Le Pavillon des Horizons demeurait fermé. Les travaux suivaient leur cours, pouvait-on lire dans les communiqués de presse, alors que le retard sur les premières annonces avoisinait désormais une année.

Même si tout Paris bruissait de son écroulement rapide, il semblait évident que le démantèlement du complexe montage financier et foncier imaginé par Sarkis et Jin demanderait un long et minutieux travail. Les enquêteurs de la brigade financière avaient saisi certaines pièces comptables, mais les ramifications et les lacunes étaient telles qu'il leur était pour le moment impossible de mettre Sarkis directement en cause.

D'ailleurs, bien que régulièrement entendu par la police au sujet de certaines affaires, Raoul Sarkis continuait d'ouvrir de nouvelles adresses. Après Le Nain jaune, Bam et Kataki, il inaugura un autre restaurant de poissons dans la rue Saint-Honoré, Le Mérou, où il prit l'habitude de recevoir les investisseurs français et étrangers encore séduits par son projet. Quiconque avait eu la moindre connaissance des articles de presse attaquant le projet depuis maintenant des mois aurait été étonné par le nombre de financiers et d'hommes d'affaires sérieux qui acceptaient encore de participer à l'entreprise de Sarkis.

En tout état de cause, il fallait lui reconnaître un certain aplomb : malgré les difficultés qui se présentaient à lui, l'homme n'avait rien perdu de son magnétisme.

Ce matin-là, alors qu'il triait son courrier, une enveloppe attira l'attention de Camille. Elle portait la mention «SCP Gillardon-Pirelli, huissiers de justice». Il pensa qu'il s'agissait encore d'une arnaque de son opérateur téléphonique qui essayait de lui soutirer abusivement le paiement des factures d'une ligne fermée depuis des années ou d'un agriculteur énervé qui tentait, une nouvelle fois, d'intimider La Louve en essayant de faire saisir du matériel.

La réalité dépassait de loin son imagination. Ouverte devant ses yeux, la lettre lui réclamait la somme de quatre-vingt mille euros en règlement de la créance hypothécaire engagée auprès d'une agence bancaire de Clichy sous peine de la saisie immédiate de tous ses biens, comme stipulé par le contrat.

La terre semblait s'être ouverte sous ses pieds. Clichy? C'était impossible. Le compte de La Louve est bien dans cette banque, mais à l'agence de Cholet. Hypothèque? Créance? Saisie? De quel monstrueux coup du sort était-il devenu le jouet?

Pris de panique, Camille réussit à joindre le directeur de l'agence de Clichy et à articuler tant bien que mal quelques paroles. Ce dernier, un certain Aymeric Larthoux, lui confirma que la société La Louve, une holding, avait ouvert un compte en août dernier et souscrit un emprunt hypothécaire de trois cent cinquante mille euros adossé à l'hypothèque d'un bien immobilier, le lieu-dit La Ville aux Voies, d'une valeur estimée à six cent cinquante mille euros, qu'il regrettait mais que tout était en règle et qu'en tant que gérant et garant de cette société il était donc tenu pour responsable du remboursement de cette créance.

Camille, abasourdi, n'était pourtant pas au bout de ses surprises. Rentré chez lui en urgence, il découvrit en se connectant au compte bancaire de La Louve, que le saccage concernait aussi sa coopérative. En une semaine, le compte courant avait été vidé de cent trente-quatre mille euros et accusait un découvert de quinze mille euros. En consultant les relevés, Camille tomba des nues. En plus des deux virements de cinquante-cinq mille euros chacun à l'ordre de Stardust, l'une des holdings de Sarkis, les lignes du document, l'une après l'autre, détaillaient l'une de ses virées new-yorkaises : deux billets en première classe, trois nuits au Pierre, un dîner chez Boulud, un autre au Hakkasan, Berluti, Smalto, Van Cleef & Arpels... pour un total avoisinant les vingt-quatre mille euros, auquel s'ajoutait la somme des impayés en cours qui se chiffrait actuellement à quarante mille euros.

Camille n'en croyait pas ses yeux. Ruiné! Il était ruiné. Tout le monde était ruiné. Toute sa vie venait de s'écrouler devant lui. Toute sa vie venait d'être réduite à ces vertiges que des lignes de chiffres devenues illisibles dessinaient sur son écran d'ordinateur. Ruiné. Le mot cognait contre son crâne. Ruiné. Ruiné. Ruines. En le prononçant, il rejoignait le contingent des murs écroulés, des bâtisses livrées aux jours parmi les champs. Sans vie. Ruiné. L'argent avait disparu, son flux allait cesser d'alimenter le rhizome de La Louve, celui que Camille avait rêvé et patiemment élaboré, ce système nerveux reliant le sol et ses habitants, capable de revitaliser toute la société. Ruiné. Il allait devenir l'oubli, le corps mort d'un arbre empêtré de lierre, la branche cassante comme du verre ; une masse aussi vaine qu'un tas de pierres.

La nouvelle l'avait terrassé mais il n'en demeurait pas moins incrédule : comment Sarkis avait-il fait son coup ? Camille se méfiait trop de lui pour lui avoir signé la moindre procuration, et pour l'hypothèque cela lui semblait vraiment absurde. Il se rassura en songeant que Sarkis avait forcément dû produire de faux documents et qu'il serait possible de le prouver. Pour la coopérative, il savait qu'il avait un levier : faire jouer d'urgence la clause de rétractation. La trésorerie était épuisée mais le pire pouvait encore arriver. Camille devait agir avant que la banque ne puisse faire saisir La Ville aux Voies.

C'est alors qu'un doute monstrueux le saisit. Il sortit le contrat de cession des parts qu'il gardait dans un des tiroirs de son bureau. Il feuilleta les dix pages jusqu'à la signature, cherchant le paragraphe d'assurance vendeur lui permettant de faire annuler la vente pour lequel il avait insisté et qu'il avait fait rédiger par l'avocat d'Anne-Marie. Il constata qu'il avait disparu de la dernière page. Il fouilla dans son ordinateur pour retrouver le projet de cession, celui que Sarkis lui avait envoyé par mail, celui qu'il pensait avoir paraphé. L'assurance y figurait.

Il venait de comprendre : on l'avait fait signer sur du carbone.

Il se remémora la scène chez le notaire, visualisa les documents préparés sur des tablettes. En un flash, il se vit les parapher puis Jean-François prendre le porte-documents... se saisir des feuilles... les agrafer avant de les lui donner. Il s'était fait avoir comme un bleu. Ce braquage de papier lui semblait énorme. D'une autre époque. Sous la dernière feuille du contrat, Sarkis avait glissé une version modifiée, sans le paragraphe d'assurance, et sous le procès-verbal de l'assemblée générale qui validait le changement de statuts, une procuration bancaire.

Il se prit la tête à deux mains et se mordit le bras jusqu'au sang. Son monde venait de s'écrouler. Le rire de Sarkis résonnait dans sa tête. Il explosa.

Victoire, qui corrigeait des copies dans son bureau, se précipita dans la pièce, alertée par ses cris :

«Camille! Que se passe-t-il?

— Tu es marié avec l'homme le plus con de la terre! J'ai tout perdu. TOUT PERDU! PUTAIN! Ce fils de pute de Sarkis m'a roulé dans la farine.

— Calme-toi. Qu'est-ce que tu racontes?

— Il m'a fait signer une version modifiée de la cession des parts et une procuration bancaire sur carbone sans que je m'en aperçoive. Cent vingt-cinq mille balles partis en fumée! Putain de putain! Tout le compte courant de La Louve. Je suis ruiné! Mais quel imbécile je suis!»

Dans ces moments d'extrême détresse qu'elle lui avait déjà connus, seule Victoire pouvait le raisonner. Elle le prit dans ses bras et, lui parlant durant de longues minutes, réussit à l'apaiser tant bien que mal :

«Ce type est un voyou et cela se voyait tellement sur lui que c'est dommage d'en arriver là… Mais, si ce n'est que de l'argent, on s'en remettra. On en a vu d'autres.

— Non. Il y a bien pire.

— Quoi?

— Dans mon dos, il a créé une autre société. À partir de l'expertise foncière de La Ville aux Voies, il a souscrit un prêt hypothécaire sur la ferme. Je viens de recevoir un courrier d'huissiers qui me demande le règlement d'un an de traites. Je suis niqué des deux côtés. Victoire, c'est un putain de cauchemar! Pardon, pardon, mon amour.»

Victoire était furieuse. Elle mesurait l'ampleur des dégâts mais tentait de garder son calme. Elle avait envie de hurler sur Camille mais elle savait qu'il fallait avant tout le protéger, qu'il pourrait ne jamais se relever de ce nouveau coup du sort. Sans La Ville aux Voies, il perdrait sa raison de vivre.

«Tâche de garder ton sang-froid, on va tout faire pour trouver une solution. Anne-Marie doit arriver demain. On va en parler à ses avocats. Il existe forcément un recours. Attends-moi ici, je dois aller chercher les filles chez mes parents. Ne fais rien, ne bouge surtout pas.»

Quelques minutes plus tard, c'est sur le parking de Vollot Viande que Victoire stationnait sa voiture. La voyant débouler comme une furie, Romain Vollot, qui accompagnait des clients pour la visite d'une unité de production, se fit excuser et la rejoignit aussitôt.

«Victoire? Qu'est-ce que tu fais ici? Mon frère a changé d'avis? Il a décidé de se reconvertir dans la viande plus rapidement que prévu?»

En arrivant près d'elle, il devina à son air paniqué que quelque chose de grave s'était passé.

«Ton frère a fait une énorme connerie!

— Ce ne serait pas la première fois mais, à voir ta tête, celle-ci m'a l'air particulièrement salée.»

Victoire lui raconta toute l'histoire dans les détails.

«Et merde. Quel sale type. J'en étais sûr. Je l'avais vu se pavaner quand il était venu visiter La Ville aux Voies. Ah, le clown, avec sa moustache et son chapeau. Il était tellement louche. Je me suis demandé comment Camille, toujours le premier à jouer les chevaliers du Bien, avait pu tomber dans un panneau aussi énorme.

— Je ne te le fais pas dire. Sarkis est un type répugnant.

— Quel gâchis. En soi, le projet était loin d'être bête. Ils étaient contents, tous, à La Louve. Ferrandier était même venu faire le beau au bistrot en parlant de leurs merveilleux plans parisiens, de leurs marchés partout en France, dans le monde. Ils ont l'air malins, maintenant.

— Pour le moment, nous sommes les seuls à le savoir. Il faut faire vite avant que la situation ne dégénère. Est-ce que tu crois qu'on peut trouver une solution pour Camille?»

Romain croisa les bras en soupirant.

«Je ne sais pas. C'est quand même franchement la catastrophe. De notre côté, on avait tout préparé pour l'association, donc je pense que l'on peut rapidement agir sur la trésorerie, mais l'hypothèque c'est une autre histoire. De toute façon, inutile de parler en l'air, il faudrait que je voie Camille déjà. Laisse-moi m'organiser, j'arrive.»

La voiture ne mit pas longtemps pour traverser Montfort dans l'autre sens. Victoire était inquiète d'avoir laissé Camille seul. En arrivant devant la maison, elle vit que la porte d'entrée était ouverte, ce qui confirma ses craintes. Elle appela plusieurs fois Camille, paniquée à l'idée qu'il ait pu suivre les traces de son frère Antoine. Personne ne répondit. Romain, qui était entré à sa suite, fit en sorte de la rassurer :

«Ne t'inquiète pas, Victoire. Je crois savoir où il est. Il fallait sans doute en arriver là pour que nous puissions nous retrouver. Attends-moi ici, je vais le chercher.»

Romain traversa la cour et s'engagea sur le chemin creux bordé de prunelliers en fleur. Au croisement avec l'ancienne voie ferrée, il la longea jusqu'au petit cours d'eau qu'elle enjambait d'un minuscule viaduc. C'est là qu'il aperçut Camille, assis sous l'arche du pont, à l'endroit où, enfant, il aimait venir jouer avec Antoine.

«Toi tu préférais passer au-dessus, lui lança Camille en le voyant arriver.

— Chacun son truc. Mais avoue que si vous alliez en dessous, c'est parce que vous n'arriviez pas à monter.

— Il te manque, n'est-ce pas?»

Romain, d'abord, ne répondit rien. Il hocha la tête et s'assit près de son frère.

«Bien sûr. Il n'y a pas une journée qui passe sans que je pense à lui. Et à toi aussi.»

En se tournant vers Romain pour lui tendre l'enveloppe que lui avait laissée Hakim, Camille prit le temps de regarder le visage paisible de son frère que sa haine, durant toutes ces années, avait voilé.

«Tiens, c'est pour toi.»

Romain lut plusieurs fois la lettre. Les larmes inondaient son visage sans qu'il puisse les retenir. Il s'essuya le visage d'un revers de la main avant de lâcher dans un sanglot qui se mua presque en rire:

«Chaque frère est un défi pour les autres. Il avait raison Antoine : c'est sûr que vous êtes de sacrés défis.»

Il tendit la lettre à Camille qui, d'un signe de tête, lui indiqua le ruisseau. Romain laissa tomber l'enveloppe. Comme les barques en feuilles de châtaignier qu'ils fabriquaient dans leur enfance, elle s'en alla cogner dans les rochers avant de disparaître. Ils restèrent de longues minutes silencieux, regardant les douleurs tenaces de leur enfance s'enfuir dans le chaos bruyant du cours d'eau. Camille pensait à Victoire, à ses enfants, à toutes ces années perdues que sa colère froide avait rendues identiques. C'est lui qui prit la parole :

«Je voudrais tellement que tu me pardonnes pour tout le mal que j'ai fait. Tu n'es pas responsable de la mort d'Antoine. Je me suis enfoncé dans ma bêtise. Je voulais vous juger, toi, papa, maman... Je ne sais même pas ce que je cherchais à prouver.

— Nous étions tous les deux dans l'erreur. J'aurais dû réussir à te parler mais je n'y arrivais pas. Je n'arrivais pas à comprendre pourquoi tu nous en voulais tant, pourquoi tu dirigeais ta souffrance contre nous. Comme si tu cherchais une revanche.

— Une revanche... Quelle revanche? De l'orgueil, plutôt. De la colère. Contre Antoine, contre moi, contre tout ce qui nous échappe, contre cette page blanche qui ne se remplira jamais, contre ce silence insupportable. J'ai fini par tout gâcher. Je n'ai plus rien. Même La Ville aux Voies va partir en fumée.»

La tête de Camille se blottit contre l'épaule de son frère qui l'embrassa.

«Je te fais le serment de tout faire pour trouver une solution, fais-moi confiance. Je ne te laisserai pas disparaître une seconde fois.»

Anne-Marie, informée de la situation, arriva le lendemain en fin de matinée. Victoire et Romain l'attendaient, aux côtés de Camille qui n'avait pas fermé l'œil de la nuit. Elle eut d'abord moins de compassion pour lui que n'en avait eu Victoire :

«Tu vois où ton idéalisme nous a menés. Pour qui te prends-tu? Le Messie? Le Sauveur du monde? Tu ne comprends donc pas que tu n'es rien sans les gens qui t'entourent? Pensais-tu vraiment que la réussite de La Ville aux Voies n'était le résultat que de ton unique et immense talent? Est-ce qu'un seul instant tu as pensé à Victoire et à tes filles? À tous ces gens qui acceptaient de jouer leur vie dans l'espoir de changer les choses? Camille, quand vas-tu enfin sortir de ta folie?»

Anne-Marie ne cachait pas sa colère contre Camille mais, constatant son épuisement, elle préféra ne pas insister. Romain avait prévenu son père de la situation et ce dernier avait accepté son projet de reprise de La Louve par Vollot Viande. La manipulation de Sarkis leur compliquait sérieusement la tâche mais n'avait pas rendu cette association impossible. Il expliqua son idée à Anne-Marie :

«Avec l'aval de notre père, j'ai pu discuter rapidement avec mes actionnaires et ma banque ce matin. Sur le principe, je suis prêt à combler le trou de trésorerie en entrant au capital de la coopérative comme nous avions prévu de le faire. De quoi stopper l'hémorragie et payer les salaires du mois. Mais il faut réussir à éjecter Sarkis de la société.

— Sur ce point, mon avocat s'est mis au travail. Il va déposer un recours auprès du tribunal de commerce et tenter de faire annuler la vente en trouvant un vice de forme. Pour La Louve, on devrait s'en sortir. On ne récupérera pas les pertes mais on peut sécuriser les outils de production, l'entrepôt, les marchés. Pour La Ville aux Voies, en revanche, c'est plus compliqué.»

Camille ne comprenait pas encore tous les rouages de la machination. On lui avait fait signer des statuts modifiés et une procuration bancaire sans qu'il s'en aperçoive, soit, mais il était difficilement concevable qu'une simple expertise immobilière puisse suffire à contracter une hypothèque.

«Comment a-t-il pu réussir une manœuvre aussi évidemment malhonnête ? Aucune banque n'accepterait un tel deal avec un dossier aussi mal ficelé.

— À moins qu'elle ne soit complice, répliqua Anne-Marie.

— Si c'est le cas, c'est un scandale, cria Victoire.

— Ils ne sont plus à une escroquerie près, ma chère. Quoi qu'il en soit, cela n'arrange en rien nos affaires.»

Anne-Marie avait vu juste. La manœuvre de Sarkis, qui, après avoir créé un compte au nom de Camille et de La Louve, avait hypothéqué La Ville aux Voies en échange de trois cent cinquante mille euros puis les avait fait disparaître dans sa galaxie de holdings, n'aurait pu être possible sans la bienveillance de certains responsables bancaires, à commencer par Aymeric Larthoux, le directeur de l'agence de Clichy.

Ce dernier, qui avait l'habitude de faciliter les juteuses opérations financières de Sarkis depuis des années, l'avait suivi avec la même confiance lorsque celui-ci s'était lancé dans le projet du Pavillon des Horizons. Face à l'accumulation des déficits et aux bilans truqués, il avait rapidement déchanté. Aussi, lorsque Sarkis l'avait sollicité pour un nouvel emprunt adossé sur l'hypothèque d'un bien d'une telle valeur, Larthoux s'était-il montré très arrangeant. Avec une opération aussi fructueuse, non seulement il pouvait combler une grande partie des pertes de la banque mais, surtout, il sauvait sa tête.

Camille avait été spolié, cela ne faisait pas l'ombre d'un doute. Pour autant, même si les documents dont s'était servi Sarkis avaient été caviardés et paraphés sur du papier carbone, Camille les avait effectivement signés. L'avocat d'Anne-Marie amorça les procédures nécessaires pour dénoncer un vice du consentement mais se montrait pessimiste quant à l'issue des jugements qui, de toute façon, ne seraient prononcés que dans plusieurs mois. De haute lutte et à sa grande surprise, il obtint néanmoins par référé la suspension du versement des mensualités du crédit jusqu'à la résolution du litige. La banque n'allait pas manquer de contre-attaquer : le temps était compté.

Un acteur inattendu allait jouer un rôle prépondérant dans le dénouement de cette situation : la presse. La rentrée scolaire de septembre venait d'avoir lieu lorsque, au beau milieu d'une matinée, alors qu'elle travaillait à ses cours à l'ombre d'un figuier, Victoire reçut un appel sur le téléphone de la maison.

« Bonjour Victoire, c'est Hakim Khalil, l'ami d'Antoine. Le journaliste. Est-ce que je pourrais parler à Camille ?

— Bonjour Hakim, c'est gentil d'appeler. Camille n'est pas là, il est à La Louve. Vous savez, malheureusement, vous aviez raison concernant Sarkis… »

En quelques instants, elle lui raconta toute l'affaire. Hakim était désolé mais ne semblait pas vraiment surpris.

« C'est justement à ce sujet que je vous appelais. Depuis la parution de mon article, les gens m'appellent sans arrêt pour me raconter de nouvelles histoires sur Sarkis. Celle de Camille commence d'ailleurs à se savoir. J'ai découvert des choses à ce sujet qui pourraient l'intéresser. Difficile de vous en parler au téléphone mais j'aimerais lui présenter quelqu'un. Est-ce que vous pensez que Camille pourrait se déplacer à Paris dans les jours qui viennent?»

Victoire marqua une légère pause avant de répondre d'une voix qui ne nécessitait aucune précision :

«C'est moi qui vais venir. Après-demain?

— Parfait. On se retrouve à mon bureau en fin de matinée.»

Lorsqu'elle lui annonça son départ – seule – pour Paris, Camille ne fut pas étonné. Il sentait Victoire guidée par une forme d'instinct irrésistible : elle irradiait.

«Je dois voir Hakim mercredi matin. J'ai prévenu l'avocat d'Anne-Marie, je passerai le voir ensuite. S'il y a la moindre possibilité d'éviter un procès, on agira au plus vite.»

Elle regarda Camille, son air d'enfant triste. Elle s'en voulait de ne pas avoir été assez attentive ou ferme, de ne pas avoir réagi à temps. Cette fois, elle était déterminée à affronter Sarkis, elle ne le laisserait pas s'échapper.

«Comment as-tu pu te mettre dans une situation pareille? Ces gens sont trop forts pour toi, mon amour.»

Camille ne répondit rien.

«Mon train est en fin d'après-midi. Je serai rentrée le soir. Il faudra juste que tu penses à récupérer les filles à l'école ou que tu appelles mes parents si tu as un empêchement.»

En la regardant, Camille sentait s'évaporer sa honte, ses peurs, ses angoisses. La conviction qui émanait de chacun des gestes de Victoire lui redonnait le goût du combat, de la justice.

«Victoire?

— Oui?

— Rien... enfin, si... tu es vraiment la plus belle femme du monde, cela ne fait plus aucun doute!»

Silence. Regards.

Le rire de Victoire.

En entrant dans la salle de réunion du journal, Victoire interrompit la discussion entre Hakim et une belle jeune femme, brune et élégante, qui semblait avoir à peu près son âge. Hakim se leva pour l'accueillir :

«Bonjour Victoire. Merci d'être venue. Le voyage s'est bien passé? Je vous présente Maxime Desbordes. Installez-vous, je vous en prie. Je vous sers quelque chose à boire? Un café? Un thé?»

D'un geste de la main, Victoire déclina la proposition et prit place à côté de la jeune femme qu'elle venait de saluer, face à Hakim qui continua :

«Comme je vous le disais au téléphone, depuis la parution de l'article, je suis sollicité par des dizaines de personnes qui m'appellent pour me raconter les magouilles de Raoul Sarkis. Les mensonges, les centaines de chèques en bois, les faux documents... Tous ces gens, à leur échelle, ont perdu beaucoup d'argent mais, malheureusement, tout cela n'est que de la petite escroquerie ordinaire. La police est sans doute en train de constituer ses dossiers mais il faudra du temps et les petits créanciers en seront de toute façon pour leurs frais. Bref, le fait est que, jusque récemment, il n'y avait pas vraiment matière à faire paraître un deuxième article. Je dis bien "jusque récemment"… car le jour où j'ai reçu l'appel de Maxime, les choses ont changé.»

Maxime avait sorti son téléphone et le tendit à Victoire en lui montrant la photo d'un passe-port :

«Qui voyez-vous sur cette photo?

— Sarkis, évidemment. Pourquoi?»

Maxime dézooma la photo, laissant apparaître les informations d'identité : «Dimitri Aliyev». Victoire ne comprit pas tout de suite ce qu'elle venait de lire.

«Et…? Vous voulez dire que…?

— Oui. Raoul Sarkis et Dimitri Aliyev sont une seule et même personne.

— Mais… Pardon, je ne vous connais pas… Qui êtes-vous? Et qui est cet Aliyev?

— Je suis sa maîtresse. L'une de ses favorites, devrais-je dire. Je l'ai rencontré sur un vol Air France alors que j'étais hôtesse de l'air. Pendant que je rangeais son manteau, un passeport azéri, différent de celui qu'il m'avait montré en entrant dans l'avion, était tombé de ses poches. Je n'y avais pas prêté attention. Il me semble que je m'étais fait la remarque à ce moment-là mais j'avais assez vite oublié. C'est par hasard qu'un jour j'ai surpris son associé, Jin, l'appeler Demetrios et que l'image du passeport m'est revenue en mémoire. En cherchant dans ses affaires pour en avoir le cœur net, je n'ai d'abord trouvé que celui au nom de Raoul Sarkis, puis j'ai mis la main sur celui-ci et je l'ai photographié pour le montrer à M. Khalil. Pour le dire rapidement, Dimitri Aliyev est la clef de voûte de tout le système mis en place par Raoul depuis plus de vingt ans.

— Qui est au courant?

— Son associé Chu-Jung Zhao, ce Jin dont je vous parlais à l'instant, Jean-François, le directeur financier, et Aymeric Larthoux, un ami de Jean-François qui assure la partie bancaire des affaires de Raoul. Ce sont les seuls à savoir. C'est pour cette raison qu'il n'a jamais engagé d'autres directeurs financiers.

— Aymeric Larthoux, j'en étais sûre… Sa femme aussi est forcément dans la confidence, non?

— Je ne pense pas. Il n'a rencontré Cristina qu'en 2002, un an après la "mort" de celui qu'il faisait passer pour son "oncle Demetrios", et la tient totalement éloignée de ses affaires.

— Ses parents? Il a bien des frères et des sœurs?

— Il est fils unique. Sarkis est le nom de son père adoptif, le diplomate Robert Sarkis, mort alors que Raoul était adolescent. C'est lui qui lui avait créé ses papiers français, en le rajeunissant de cinq ans pour lui simplifier la vie. Aliyev, son vrai nom, est celui de sa mère, qui était tombée enceinte d'un inconnu à la fin des années 1960. La pauvre a fait ce qu'elle a pu mais, après la mort de Robert Sarkis, c'est Jin qui a "complété" son éducation. Jean-François pense même qu'il est son vrai père.»

Victoire demeurait incrédule. Elle se demandait comment Maxime avait pu recueillir toutes ces informations et surtout pourquoi elle s'était décidée à les livrer ainsi à la presse.

«Lorsque j'ai découvert le second passeport, je suis allée voir Jean-François pour lui demander des explications. Il était excédé par les manœuvres de Raoul. Il pensait que les choses étaient allées trop loin. Il m'a tout raconté et m'a même avoué qu'il envisageait de se livrer à la police. J'ai réussi à le convaincre de me laisser plutôt parler à la presse, ce qui lui permettrait d'avoir suffisamment de temps pour fuir ou pour organiser sa défense.»

Hakim, qui était jusqu'alors resté silencieux, compléta les propos de Maxime :

«Fort de ces indications délivrées par Jean-François à Maxime, j'ai pu commencer à mener une enquête plus approfondie et à faire la lumière sur ce qui m'échappait jusqu'à présent. La nébuleuse de Demetrios est un chef-d'œuvre du genre. À dix-huit ans, Raoul Sarkis était, d'un côté, inscrit comme étudiant en école de commerce, de l'autre, caché sous le patronyme de Dimitri Aliyev, il montait ses premières combines financières dans l'ombre de Chu-Jung Zhao. Et avec un certain talent! Pétrole, contrefaçons, produits financiers... tout y passait. Pourtant, au bout de quelques années, une partie de leurs sociétés a été mise en liquidation.

— À ce moment-là, les enquêteurs ont bien dû commencer à faire des rapprochements, non? demanda Victoire.

— Peut-être mais, comme en témoignent les conclusions des procès, ils ont vraiment cru à l'existence et à la fuite de ce Dimitri que tout le monde connaissait sans l'avoir jamais vu. Il n'est pas impossible que l'existence de ce coupable fantôme ait arrangé tout le monde à l'époque. Quant à Raoul, son nom apparaissait bien dans quelques affaires mais, là encore, voyant le jeune homme qui leur faisait face, ils ont pensé à une manipulation et ne l'ont condamné qu'à une interdiction de gérance. Puis Raoul Sarkis est parti en Pologne, pour se rapprocher soi-disant de son "oncle" qui était censé avoir fui en Azerbaïdjan. Là-bas, il a continué ses affaires sous ses deux pseudonymes en lien avec Jin resté en France. En 2001, pour s'extirper d'un mauvais pas, il a fait "assassiner" Demetrios. L'histoire que m'avait racontée Steve Le Braech m'avait d'ailleurs déjà mis la puce à l'oreille mais j'étais loin de me douter que la mythomanie de Sarkis atteignait de tels sommets.

— Toute sa vie, il n'aura donc fait que basculer constamment d'un personnage à l'autre, souligna Victoire.

— Je ne suis qu'au début de mon enquête et je n'en saisis pas encore tous les rouages mais je suis sûr que j'ai encore beaucoup à découvrir en fouillant du côté des paradis fiscaux.

— Jean-François m'a confié que ce double de Raoul, Demetrios, tenait tout l'édifice mais que les montages étaient d'une telle opacité qu'il faudrait beaucoup de temps aux enquêteurs pour tout mettre au jour.

— Cette difficulté d'action dont parle Maxime m'a convaincu d'écrire un premier article qui paraîtra dans l'édition de vendredi. La preuve de cette double identité devrait accélérer le travail de la justice et mettre rapidement Sarkis hors d'état de nuire. Dans deux jours, il lui sera impossible de quitter le territoire avec l'un ou l'autre de ses passeports.»

La découverte de ces éléments allait en effet changer totalement la face des choses. La preuve de cette fraude d'identité était suffisante pour faire condamner Sarkis et annuler toutes les opérations, contrats, ventes, achats, effectuées sous ce nom d'emprunt. En rattachant le nom de Raoul Sarkis à celui de Dimitri Aliyev, les enquêteurs de la brigade financière allaient pouvoir démanteler tous les montages financiers qu'il avait mis en place depuis plus de vingt ans avec la complicité de Jin et de Jean-François.

Cela prendrait du temps mais Camille allait pouvoir dénoncer de plein droit l'hypothèque de La Ville aux Voies, qui devenait caduque, et sans doute obtenir la condamnation de la banque. Malgré les dégâts financiers, l'essentiel serait sauvé.

Après les derniers mots de Hakim, un silence gênant s'était installé dans la pièce. Les deux jeunes femmes se tenaient face à face. Deux comètes en pause. Maxime, les jambes croisées, sondait Victoire comme les confins d'un autre monde. Victoire se demandait comment une telle beauté avait pu se laisser séduire par un être aussi malfaisant que Sarkis. Elle se pencha vers elle :

« Merci Maxime. Je ne sais pas comment vous exprimer ma gratitude. »

Celle-ci parut surprise du ton familier de Victoire. Elle répondit plus sèchement :

« Ne me remerciez pas. Je ne tire aucune fierté de ce geste. Même si je l'ai quitté pour ne plus avoir à subir sa folie, j'aime Raoul. Et, croyez-moi, je préférerais que ce Demetrios n'ait jamais existé.

— Alors, pourquoi l'avoir dévoilé ?

— Cette décision ne regarde que moi. »

Par sa morgue bourgeoise, Maxime essayait de masquer le trouble qu'elle ressentait devant l'étrange douceur de Victoire. Cette jeune femme l'intriguait. Sa façon de parler n'avait rien de la condescendance courtoise des citadins mais elle ne dégageait pas non plus cet air mièvre et moraliste que Maxime prêtait aux provinciales. Non, sa voix dénotait plutôt un mélange de curiosité polie et de confiance en soi. Maxime commençait à percevoir Victoire par-delà son apparence de petite oie blanche, telle qu'elle était vraiment : une femme sûre d'elle qui n'était pas envoyée en délégation par son mari pour régler des affaires administratives mais qui était venue en personne chercher sa vengeance.

« Sauf votre respect, Maxime, Raoul Sarkis est un vrai fléau. Ses malversations vont avoir des conséquences désastreuses et entraîner des dizaines de personnes dans sa chute. Des gens qu'il a volés sans scrupules. Il va devoir payer pour cela.

— Quoi qu'ait pu faire Raoul, ce n'est pas à vous d'en juger.

— Ce sont des faits et ce n'est pas votre mauvaise foi qui y changera quelque chose. Je comprends que vous le défendiez par amour. Pour autant, je ne peux m'empêcher de penser que vous méritez mieux que cet homme.

— Gardez pour vous ce genre de compliments, je vous prie. Si j'ai rompu avec ma famille, c'est justement pour ne pas avoir à supporter les sermons de ce genre ni les conseils sur les hommes que je suis censée "mériter". Après tout, les escrocs ne font pas plus de dégâts que les idéalistes qui les écoutent et mènent leurs familles à la ruine. »

Victoire n'en crut pas ses oreilles. Elle se leva, excédée, prête à quitter la pièce. Maxime l'arrêta d'un geste de la main.

« Ne le prenez pas mal, Victoire. Je ne voulais pas vous blesser. Vous comme moi n'avons besoin de personne et rien ne peut nous empêcher d'agir comme nous le souhaitons. Il est seulement regrettable que les hommes que nous aimons ne soient pas toujours à la hauteur de nos choix.»

Maxime se leva à son tour, salua Hakim et tendit sa main à Victoire qui la lui serra sans chaleur. Avant de quitter la pièce, Maxime se tourna une dernière fois vers elle :

«Croyez-moi ou non mais j'espère sincèrement que les choses s'arrangeront pour vous.»

Une fois sortie des bureaux du quotidien, Victoire appela aussitôt Camille, Anne-Marie et Romain pour leur annoncer ce rebondissement inattendu puis l'avocat d'Anne-Marie qui n'en revenait pas. Le rendez-vous à son cabinet fut décalé au lendemain afin qu'il ait le temps de retravailler en urgence le dossier à la lumière de ces révélations.

De toute façon, et bien qu'elle ne s'en soit pas ouverte à Camille, Victoire avait prévu depuis son départ de rester à Paris pour la nuit, et sa rencontre avec Maxime l'avait confortée dans sa décision. Avant de reprendre le train pour Cholet, elle avait encore quelque chose à faire.

Elle sortit son téléphone et composa un message à l'attention de Raoul Sarkis dont Hakim lui avait donné le numéro :

« Cher Raoul, j'espère que vous allez bien. Lors de notre dernière rencontre, j'ai été un peu brusque et je voulais m'en excuser. Je suis de passage à Paris pour la soirée. Si vous ne m'en voulez pas trop, peut-être auriez-vous le temps de dîner avec moi ? Baisers, Victoire Vollot. »

La réponse ne se fit pas attendre longtemps. Sarkis, toujours aussi sûr de lui, ne doutait pas une seconde que Victoire avait abandonné son paysan pour rejoindre le camp du plus fort.

« Ma chère Victoire. Quelle belle surprise ! En effet, vous avez des choses à vous faire pardonner mais je suis sûr que vous saurez vous y prendre. Je vous invite à dîner avec plaisir. 19 h 30 au Nain jaune ? Ensuite, nous verrons… »

L'après-midi passa vite. Après avoir trouvé un hôtel près de la gare Montparnasse, elle se mit en quête de livres et de cadeaux pour ses filles. La fin de journée approchait. Victoire sortit de l'hôtel vers 19 heures, vêtue d'un léger cachemire bleu Klein sous une veste d'été noire. Une petite louve en or – un pendentif que lui avait offert Camille – tressautait sur sa poitrine. Elle la glissa sous son haut. Elle marcha quelques minutes dans la rue de Rennes puis appela un taxi.

Elle se fit déposer rue de l'Arbre-Sec, devant l'hôtel de Trudon. Les deux restaurants qui encadraient l'entrée de l'hypothétique Pavillon étaient fermés pour travaux. Elle avança vers Saint-Honoré et entra dans Le Nain jaune. Elle patienta quelques instants avant qu'une jeune fille ne vienne à sa rencontre.

« Bonsoir mademoiselle, j'ai rendez-vous avec M. Sarkis. Pouvez-vous lui dire que Victoire Vollot est arrivée, s'il vous plaît ?

— M. Sarkis est en haut, dans la salle à manger. Il vous attend.»

Victoire s'avança vers le fond de la salle. Le restaurant était vide. Seul un cuisinier s'activait derrière le comptoir du passe-plat. Elle monta calmement les escaliers. En arrivant sur la mezzanine, elle vit que la table était dressée pour deux. Assis à l'une des extrémités, près d'un seau à champagne, Sarkis patientait en pianotant sur son téléphone.

Ces dernières semaines, il avait beaucoup grossi et la couleur de son pull – jaune canari – autant que sa coupe cintrée ne faisaient rien pour arranger cette impression. Prolongé par un double menton, son visage semblait encore plus long, saillant comme l'angle d'une tôle que deux mains auraient pliée, et sa lèvre inférieure, adipeuse, pendait étrangement en dessous de sa bouche en une sorte de petit promontoire qui le faisait ressembler à un mérou. Ses yeux, en revanche, distillaient toujours ce même mélange de magnétisme et d'inconsciente confiance. Il se leva face à Victoire, les deux bras ouverts et la tête penchée sur le côté dans un air de connivence :

«Ma belle Victoire!»

Sarkis était tellement condescendant qu'il ne lui serait même pas venu à l'esprit que cette femme, dont il avait brisé la vie en ruinant le travail de son mari, ait pu venir pour se venger. Non, elle venait pour lui, il en était certain. Elle acquiesçait à son génie et, comme l'aurait fait n'importe quelle femme, elle avait décidé de se ranger du côté du plus fort en lui faisant allégeance. L'attitude de Sarkis, debout, les jambes écartées face à elle, la fit sourire. Elle n'aurait même pas besoin de ruser tant il était boursouflé de lui-même. Sa haine lui suffirait.

«Monsieur Sarkis. Comment allez-vous?

— Je vais très bien. C'est un plaisir de te voir. Toujours aussi magnifique. Permets-moi de t'embrasser, que nous fassions définitivement la paix.»

Sarkis posa ses deux mains sur les épaules de Victoire et l'embrassa sur la joue, près de son oreille. Victoire ferma les yeux.

«Tu sens tellement bon. La campagne, c'est merveilleux! Prenons un peu de champagne et nous irons ensuite visiter Le PaHo. J'imagine que tu es impatiente de voir cet endroit qui fait saliver tout Paris.»

Il lui servit une coupe et la lui tendit.

«Tu sais, je suis désolé pour ce qui est arrivé à ton mari. C'est le problème de beaucoup de paysans. Ils peuvent être très doués dans ce qu'ils font mais ce sont souvent de très mauvais gestionnaires. Je te promets que je vais faire mon possible pour arranger la situation.»

Victoire tomba des nues. L'aplomb de Sarkis était tellement grotesque. Cela l'affligeait d'autant plus qu'elle ne comprenait pas comment Camille et des dizaines d'autres hommes avaient pu tomber dans les pièges de ce bonimenteur pathétique et si évidemment malhonnête.

«Ne vous donnez pas cette peine, il me semble que vous en avez déjà assez fait.

— Si tu le dis. Allez, trinquons à notre réconciliation. »

Pendant de longues minutes, Victoire écouta Sarkis lui raconter le triomphe imminent du Pavillon des Horizons qui n'annonçait rien de moins que l'avènement d'une nouvelle génération d'artistes ainsi que d'une agriculture moderne, débarrassée de son vieux fond maurrassien et réactionnaire, le tout grâce à sa vision et son humanisme désintéressé. Pouvait-il en être autrement ? Pour que le monde sorte enfin de l'ornière dans laquelle il était engagé, il fallait que des hommes comme lui prennent les devants. Évidemment, cela n'allait pas sans quelques malheureux incidents et il était le premier à le regretter, mais le jeu n'en valait-il pas la chandelle ?

Tout à son monologue, il ne quittait pas Victoire des yeux, devinant la beauté de son corps, la blancheur de ses seins, de son ventre que recélaient les ombres légères de son pull. Il bandait, se réjouissant à l'idée de la prendre bientôt, refrénant son désir pour attendre le moment parfait tel qu'il se l'imaginait. Voilà, oui, il la baiserait sous la verrière du Pavillon. À l'emplacement de son futur hôtel. Il savait qu'elle n'attendait que cela et qu'il aurait pu l'avoir ici, tout de suite, mais il préférait patienter, marquer son emprise sur elle en faisant durer le plaisir.

Lorsqu'ils redescendirent pour rejoindre la rue du Roule, le restaurant était toujours vide. Quelques minutes plus tard, Sarkis actionnait le portail du PaHo et faisait entrer Victoire dans l'ancienne manufacture. Malgré la grâce architecturale du lieu, le décor était lugubre et cumulait tous les stigmates du chantier abandonné : tas de décombres, machines et outils posés à même le sol, trous béants, fils électriques pendant de part et d'autre... Sarkis y voyait pourtant la première trace matérielle de son génie.

«Voilà mon œuvre! s'exclama-t-il à l'intention de Victoire.

— Eh bien, je crois que vous devriez changer de nom : Le KaHo lui irait beaucoup mieux.»

Sarkis ricana avant de continuer sa description des lieux :

«Voici l'allée centrale. À droite, il y aura tous les ateliers d'artistes, les lieux d'exposition, les galeries, la librairie, le concept-store... À gauche, les restaurants et les commerces de frais, reliés directement à l'entrepôt, derrière, où arriveront les produits de toute la France.

— Non, c'est vrai, Le KaHo, ce serait beaucoup mieux, vous ne trouvez pas? Ou Le Pavillon des Cancéreux, c'est bien aussi. Vous qui aimez tant la littérature...»

Sarkis ne prêta pas attention à la remarque. Il poursuivit :

«Voici ma galerie préférée. Elle mène au grand patio et au bâtiment dans lequel je vais aménager mon hôtel, La Croix du Sud, en hommage à Blaise Cendrars. Tu connais?

— *Plus prodigieuse à chaque pas que l'on fait vers elle, émergeant de l'ancien monde, sur son nouveau continent...* Oui, merci, je connais Cendrars. Et je connais aussi Mermoz. J'ai d'ailleurs l'impression que c'est plutôt son crash qui vous a inspiré cet endroit! Que croyez-vous, Raoul? Que les femmes de mon espèce passent leur temps à faire des confitures et des broderies en attendant que leurs gentils maris rentrent des champs?»

Pendant qu'elle prononçait ces paroles, Sarkis avait senti Victoire se rapprocher de lui, son bras le frôler. Il s'arrêta dans le patio, devant un tas de sable et la silhouette famélique d'un olivier que l'on avait abandonné là. Victoire lui faisait face. Son instinct lui indiquait que c'était le bon moment pour se jeter sur elle et la prendre dans ses bras. Il était pourtant incapable de faire le moindre geste. Au contraire, c'est Victoire qui s'approcha, si près qu'il put presque sentir ses seins contre lui. Elle posa la main sur sa joue, comme une enfant moqueuse :

«C'est vrai, heureusement que le GÉNIAL Raoul Sarkis est arrivé pour prendre soin de tous ces gentils paysans, pour les protéger contre les méchantes gens de la ville, leur apprendre à parler français, à vendre leurs jolis petits légumes...»

Elle marqua une pause. Sa voix avait des accents moqueurs de viole étrange.

«Comment pouvez-vous croire encore à vos histoires? Êtes-vous fou? Ou tout simplement débile?»

À cet instant, elle referma sa main sur la nuque de Sarkis. Elle le tenait plaqué contre elle, sa bouche à quelques centimètres de la sienne. Sarkis sentait son souffle contre son visage. Il était pétrifié, comme ensorcelé.

«Comment faut-il vous appeler d'ailleurs, grand chevalier? Raoul ou Dimitri?»

Le visage de Sarkis se figea. Dans un réflexe, il essaya d'embrasser Victoire qui lui mordit la lèvre et le repoussa. Déséquilibré par une jardinière en bois, il chuta piteusement sur le sable. Tombé de son piédestal de pose, dénué de son magnétisme, Sarkis était ridicule.

Alors qu'elle le regardait s'agiter et tenter de retrouver un semblant de contenance, Victoire reconnut la silhouette de Maxime, venue par amour conseiller à Sarkis de fuir au plus vite, qui s'avançait sous la verrière.

«Vous êtes un imposteur, Raoul Sarkis, un pitoyable escroc, mais je suis rassurée, vous n'en avez plus pour longtemps. Vendredi, un article dévoilera votre double identité et tout le système de vos malversations va s'écrouler. La brigade financière pourra enfin agir sans entraves. D'ailleurs, si je ne suis pas venue avec la police aujourd'hui, ce n'est pas pour vous laisser une chance, c'est seulement pour elle, ajouta Victoire en montrant Maxime qui s'était approchée. C'est à elle qu'appartient cette décision.»

Sarkis se leva et se dirigea vers Maxime en s'époussetant. Il balbutia quelques mots d'insultes insignifiants à l'encontre de Victoire.

«Ne perdez pas trop de temps, monsieur Sarkis. À moins que vous n'ayez rien à vous reprocher. Quant à ces paysans dont vous vous souciez tant, ne vous en faites pas, ils sauront très bien se débrouiller sans vous et vos combines d'un autre temps. Bon voyage, mon héros!»

Victoire accompagna Maxime et Sarkis du regard jusqu'à leur sortie puis prit le temps de faire rapidement le tour du bâtiment en le photographiant avec son téléphone. Elle était frappée par la beauté des lieux. Sarkis n'était pas si fou, elle devinait l'importance que pourrait prendre un tel projet au cœur de Paris. Une fois que «Demetrios» et tous ses complices seraient tombés, il faudrait agir vite et trouver le moyen de mettre la main sur cet endroit. Si elle réussissait son coup, La Louve avait de beaux jours devant elle.

En sortant, Victoire referma le lourd portail et emporta la clef du cadenas que Sarkis avait oubliée dans sa fuite. Arrivée à l'angle de la rue du Roule, elle aperçut Sarkis et Maxime sortir du Nain jaune et s'engouffrer dans une berline noire aux vitres fumées. La portière claqua et la voiture disparut en direction de la rue du Louvre, dans l'axe du soleil couchant dont les rayons carmin inondaient la rue Saint-Honoré.

Victoire esquissa un sourire.

Adieu Adieu
Soleil cou coupé

*Ce livre est écrit
à la mémoire de Richard,
dont la mort tragique
a marqué nos vies d'une douleur tenace.*

Remerciements particuliers à :
Laurent Schrameck et Anne Berest

Merci à Michel Archimbaud, Jonathan Siksou, Sophie Pinet, Jacques Dereux, Johann Berger, Thomas et Iris Brender, Romain et Christelle Grégoire, Stéphane Bréhier, Laurent et Audrey Chaillou, Arnaud Daguin et Charles Hervé-Gruyer pour leur soutien sans faille et leurs conseils avisés.

Merci à Dorothée, Vanessa, Clément et Martin pour leur hospitalité.

Enfin, une pensée amicale à tous ceux qui ont partagé avec moi les hauts et les bas de cette aventure épique, avec une mention spéciale à ma chère petite cousine qui se reconnaîtra.
#QLF

DU MÊME AUTEUR

Aux Éditions Gallimard

LA LOUVE, 2017 (Folio nº 6656)

COLLECTION FOLIO

Dernières parutions

Composition Nord Compo
Impression Novoprint
à Barcelone , le 09 mai 2019
Dépôt légal : mai 2019

ISBN 978-2-07-282902-4./Imprimé en Espagne.

344038